LES PETITS

L'art du jardin zen

Veronica Ray

L'art du jardin zen

Une philosophie écologique

Traduit de l'anglais par
LAURENCE E. FRITSCH

La Table Ronde
7, rue Corneille, Paris 6e

ISBN 2-7103-0773-1.

AVANT-PROPOS

Les plaisirs d'un jardin sont si divers et pourtant si constants. Car celui-ci donne à notre maison plus d'éclat, à notre corps plus de santé et la joie à notre esprit. Parce que nous en avons éprouvé les bienfaits et que tous les jours de notre vie en sont égayés, c'est à nous d'inviter et d'instruire autrui afin qu'il puisse partager notre joie.

S. REYNOLDS HOLE.

Mon propos n'est pas ici de vous instruire, mais de vous inviter.

De vous inviter aux joies nombreuses de l'art du jardin ainsi qu'à la joie paisible du zen.

Je ne suis pourtant ni une experte en jardinage ni maître en zen. Mais j'éprouve beaucoup d'amour pour l'une et l'autre activité. J'essaie de m'ouvrir à ce que chacune d'elle peut m'apporter. Je lis et j'écris tout ce que les experts, ou prétendus tels, ont à m'apprendre. Et je retire de cette étude ce que je peux utiliser tout en sachant fort bien que ma propre expérience est le meilleur maître pourvu que je sois prête à m'ouvrir à cette forme de savoir et à accepter ce que j'ai un jour réfuté.

C'est d'ailleurs là une démarche : on l'appelle *l'esprit du débutant* – c'est-à-dire l'ouverture aux joies que procurent l'expérience, l'apprentissage, la vie. Je n'ai ni l'intention ni le désir d'aboutir à une sorte de sommet d'où je contemplerais le reste de l'humanité avec condescendance, me considérant comme un expert du jardinage ou du zen. Car si tel était le cas, il me faudrait alors abandonner ces deux pratiques et chercher un autre moyen de tout réapprendre. Bien au contraire. L'idée fondamentale de cet ouvrage est de persister dans l'*état d'esprit du débutant*. Ce faisant, il n'y aura aucune limite à notre curiosité et aux leçons que nous pouvons apprendre de la vie.

Le zen n'est ni une religion dogmatique ni une philosophie ; le zen est simplement une pratique. Pourtant, toute modeste qu'elle soit, elle nous permet de parvenir à une vision puissante en nous emplissant, au plus intime de nous-même, de joie et de sérénité. Or le jardin est un cadre idéal pour s'adonner à la pratique du zen. Il nous propose de faire l'expérience de la patience, de la compassion et de l'acceptation – trois facettes essentielles de cette philosophie. Il nous enseigne la vigilance, la simplicité, le détachement, l'absence de résistance. Il nous rappelle constamment l'interdépendance qui nous relie à tout ce qui est vivant. Il nous oblige à vivre, ici et maintenant, l'instant présent. Il nous donne enfin l'opportunité de nous perdre dans l'exercice d'une tâche qui retient toute notre attention et notre concentration.

Tout jardin, quel qu'il soit, peut être un jardin zen. S'il est vrai que les moines zen mettent tous leurs soins et toute leur patience dans l'élaboration de dessins parfaits à force de ratisser des surfaces de cailloux ou de sable, il n'en reste pas moins qu'un lopin de terre, une jardinière sur un balcon peuvent se transformer, pour les Occidentaux que nous sommes, en un jardin zen. Peu importe en effet l'aspect de l'endroit choisi ; car tout l'intérêt réside dans la façon dont on s'en occupe, dans la qualité de la relation qui nous lie à lui, de ce que nous ressentons, de ce que nous pensons. Tout est affaire de comportement. Le zen est d'abord une pratique. Pratiquer dans le même temps le zen et l'art du jardinage est une expérience riche d'enseignements pleine de promesses et de joies.

Le zen nous enseigne à vivre pleinement chaque instant de notre vie – un instant à la fois. Il nous enseigne à respirer pleinement et à tirer parti de chacune de nos respirations, ici et maintenant. Il nous invite à nous fier à l'énergie de l'univers dont la nature est parfaite. Il nous permet de ressentir le lien qui nous unit à tous les autres êtres et à la terre-mère. Le zen nous aide à partager cette unicité. Il nous montre comment accomplir la tâche quotidienne en conscience, avec attention, en étant présent totalement à l'acte de l'instant. Il nous permet encore de nous perdre dans le flux de l'énergie qui nous traverse comme elle traverse tout ce qui nous entoure.

De la même façon, l'art du jardinage nous ouvre le champ de nombreuses découvertes ; nous apprendrons ainsi qu'il faut laisser la nature faire ce qu'elle sait le mieux faire, accepter ce que nous ne pouvons pas maîtriser et devenir une part du processus naturel en nous intégrant harmonieusement et utilement à celui-ci. L'art du jardinage nous invite à nous fondre avec le monde de la nature et à le laisser agir à travers nous.

Si vous êtes un expert en jardinage, totalement novice dans la pratique du zen, vous découvrirez une nouvelle approche qui enrichira et approfondira l'expérience que vous avez de cet art. Si vous êtes un pratiquant de zen, novice dans l'art du jardinage, vous découvrirez là une nouvelle façon de vivre cette philosophie. Quant aux lecteurs qui ne connaissent rien de ces deux pratiques, ils ouvrent avec ce livre les portes d'un nouveau monde totalement magique.

Cet ouvrage est une sorte de journal de bord ; j'y ai consigné jour après jour les pensées qui me sont venues et les leçons que j'ai apprises. Le jardin n'est ici qu'une métaphore. Il représente à lui seul les mille et un champs d'expériences de la vie, toutes ses facettes et toutes les leçons qu'elle nous donne. Tant il est vrai que le zen est véritablement une voie d'ouverture. Il trace le chemin qui guide l'être vers la compréhension et la Connaissance. Il permet une nouvelle approche, un nouvel échange avec nous-même, un nouveau mode de communication avec nos jardins, quels qu'ils soient.

Le zen est une pratique de la lenteur, de l'attention, de la présence pleine et entière à l'instant. Lorsque la philosophie zen donne rendez-vous à l'art du jardinage, ce sont nos fleurs et nos légumes, nos arbres et nos arbustes qui fleurissent, mais ce sont, aussi et surtout, nos cœurs, nos esprits et nos âmes qui s'épanouissent ensemble en un arc-en-ciel lumineux. Puissent tous nos jardins visibles et invisibles être florissants.

PROJETER
LE JARDIN À VENIR

La vie débute le jour où l'on commence un
jardin.

PROVERBE CHINOIS.

De toutes les activités humaines, à l'exception de
la procréation des enfants, l'art du jardinage est
sans doute la plus riche de promesses. Car le jardinier est par définition celui qui fait des projets,
et croit fermement en l'avenir à cours comme à
long terme.

B. SUSAN HILL.

L'une des fenêtres du bureau où j'écris ces lignes donne
sur le jardin. Aujourd'hui, il semble bien austère. Il faut
encore peindre la palissade, construire la clôture qui sépa-
rera la promenade de la cour. Les plates-bandes regorgeant
de pousses de légumes pleines de sève, la treille couverte de
vigne et de fleurs ne sont encore que de beaux rêves, des
vues de l'esprit. C'est le mois d'avril. Oiseaux, canards et

oies sont revenus et construisent avec application le nid qui abritera leur famille. La neige s'est depuis longtemps dissoute dans la terre qui l'a absorbée. L'air est frais. La douceur est pleine de promesses.

En ce début de printemps, ma boîte aux lettres déborde de catalogues de jardinage. Je passe des heures à les feuilleter et à rêver sur ce que sera mon jardin cette année. J'imagine les couleurs, les senteurs, les textures et me plais à visualiser des centaines de variétés florales. Je fais et refais des plans, projetant un potager débordant de produits frais destinés à notre consommation personnelle, le tout dans un carré de terre n'excédant pas trois mètres de côté. J'esquisse différentes vues aériennes de ma propriété y jouant avec une variété infinie de plantations, de barrières, de fontaines, de gradins de toutes sortes, jouant avec les plates-bandes et les plantes en pots. Mon esprit galope et regarde grandir ce jardin à tous ses âges et dans toutes ses configurations.

Je m'inspire d'albums de jardins du monde entier, puisant là une source infinie pour mon imagination. Je m'emplis les yeux de ces images avant de les adapter à mon propre espace. Un labyrinthe sombre de la campagne anglaise devient l'entrelacement des branches d'un arbre surplombant un banc dans le coin le plus ombragé de mon arrière-cour. La douceur et la paix qui règnent dans un jardin de méditation japonais se projettent dans le sage et net alignement de plates-bandes et d'allées parfaitement géométriques. L'éclat soudain d'un champ de coquelicots en Californie jaillit en un parterre multicolore de plantes vivaces.

Tous ces projets éclairent les derniers jours de grisaille, réchauffant la froidure et les paysages austères de l'abondance à venir. Je me remémore les travaux de l'été précédent comme leurs résultats sans même quitter mon fauteuil.

Le plaisir que j'éprouve à composer le jardin de cette année commence véritablement en ce jour, dans la fraîcheur du début du printemps, dans la terre, ô combien fertile de mon esprit. Tout ce que je complote dans le secret de mes pensées et de mes lectures fait déjà partie intégrante de ce qu'il sera. Il naît déjà dans mon imagination avant que j'aie planté la première graine. Son énergie point déjà, créant une impulsion dont les résonances perdureront pendant toute la saison. Mon jardin a pris vie bien avant les premières chaleurs de l'année.

Concevoir un jardin, c'est comme partir en voyage. Une grande partie du plaisir que l'on éprouve à voyager réside dans la préparation de l'itinéraire. On imagine chaque détail jusqu'aux conditions atmosphériques et aux tenues qu'il conviendrait de porter. On ne cesse de faire et de défaire les valises. Amis, personnel des agences de voyages, commerçants, tous nous écoutent et participent à notre excitation. Chacun raconte sa propre expérience, la façon dont il voit les choses sans oublier de nous donner des conseils. Et si l'on entend parler de difficultés, on n'hésite pas à préparer une stratégie personnelle pour les contourner. Car il ne nous vient pas un seul instant à l'esprit que l'on puisse être fatigué, tomber malade ou manquer de subsides. C'est la perfection que l'on visualise alors. Et, comme dans les magazines, les images qui défilent devant nos yeux sont des images de bonheur et de facilité.

D'aucuns me suggèrent de jeter les graines au hasard pour voir ce qui adviendra ; la nature fera le reste. D'autres âmes bien intentionnées me proposent d'arracher toutes les plantes et arbustes existants sans omettre d'enlever toutes les pierres afin de laisser libre cours à la nature totalement sauvage. D'autres encore sont persuadés que le fond de mon jardin est la place idéale pour construire un terrain de tennis, de basket-ball, un garage, à moins que ce ne soit une immense pelouse. Aucune de ces propositions extrêmes ne m'attire. Aucune ne me semble juste. Et si un peu de jachère est nécessaire et bienfaisante à la terre, il convient aussi de réserver quelques endroits à des espaces modelés par l'homme. Ce que je veux, c'est d'abord œuvrer *avec* la nature, c'est me fondre en elle pour ne faire qu'une avec elle dans une fusion intégrale et harmonieuse. Car c'est ainsi que la part que je *prendrai* à la création de mon jardin *prendra* toute sa valeur. C'est ainsi que je profiterai pleinement de sa présence et de ses bienfaits.

L'essence du zen est la simplicité, la non-résistance, la non-intervention et la vigilance. Elle privilégie l'attention que l'on porte à la nature essentielle de toute chose. Elle souligne la manière dont on vit et agit en harmonie avec celle-ci. Car prendre racine et grandir fait partie de la nature de la plante de même que retenir l'eau et le sol fait partie de la nature de la pierre. Alors que penser, planifier, apprendre, faire des choix et organiser est la nature essentielle de l'homme. Il arrive que ce dernier dépasse les limites, oubliant qu'il lui faut rester en harmonie avec la nature essentielle de tout ce qui l'entoure. Mais son comportement sera tout autant destructeur s'il vient à négliger sa propre nature et la contribution positive qu'elle peut apporter à son environnement. Laisser les plantes se développer au gré de leur fantaisie serait suicidaire car il serait alors impossible de nourrir la population mondiale. Tandis que planifier en *conscience*, en apportant toute l'attention nécessaire à la nature essentielle de chaque être vivant, c'est rendre le travail de la pensée utile au reste de la nature et contribuer de manière positive à la sauvegarde de la planète.

Il s'agit d'abord de faire l'état des lieux : quels sont les points d'ensoleillement et les points d'ombre, quelle est la nature du sol et quelles sont les plantes existantes ? Ce n'est qu'en respectant et en faisant honneur à sa nature originelle que nous permettrons à notre jardin de se développer harmonieusement. Quelle plante *désire* vivre ici, quelle plante aime les conditions qu'on lui propose et s'en accommodera ? Ce serait folie que d'obliger une plante qui préfère les ombrages à vivre en plein soleil. Il serait tout aussi contradictoire et stérile de planter des buissons sur une pente abrupte : les pires difficultés surgiraient car ils ne pourraient se développer. Le premier pas à faire est un pas en arrière ; il nous faut rester tranquille, oublier ce que *nous autres* voulons pour le moment, et simplement *observer*. C'est là que se situe le véritable commencement des choses.

Une fois assimilées les données de cet espace, on peut commencer à œuvrer en harmonie. On évitera par exemple de se considérer comme un conquérant prêt à livrer bataille aux herbes folles, aux pucerons et autres avatars de la terre glaise, préférant une attitude d'intégration et de communion avec le lieu dont nous faisons partie intégrante. Notre fonction est de fusionner avec le jardin, non de le dominer. Quel peut être notre apport pour rehausser la beauté inhérente à la nature ? Comment aider la fleur à trouver ce dont elle a besoin pour s'épanouir ? Comment permettre à cet endroit de donner le meilleur de lui-même ? Comment y insérer de nouveaux éléments qui s'y accorderont, participant à l'alchimie subtile de la terre, de l'air, de l'eau et de la plante ? Si l'homme prend conscience qu'il est un élément à part entière de cette communauté, alors tous ses efforts et tous ses projets contribueront à la beauté du jardin.

Il en va de même de l'éducation des enfants. Impossible de *faire* des chères têtes blondes ce que nous voulons. Tout ce que nous pouvons faire, en revanche, c'est de les nourrir dans tous les sens du terme et du mieux que nous pouvons afin de faciliter l'épanouissement de ce qui est déjà en eux, de leur propre nature, de leur être essentiel. Et si nous sommes un atome dans leur vie, soyons celui qui les aide, les protège, les encourage. Celui qui leur offre les conditions de vie susceptibles de respecter leur propre rythme et le cheminement sur la voie qui est la leur. Soyons celui qui ouvre des portes, qui montre aux enfants ce qu'ils sont et pourquoi nous autres adultes leur sommes aussi nécessaires.

L'étude de l'agencement des précédents propriétaires m'apprend qu'on a déjà procédé à quelques changements par rapport au projet initial : un bac à sable s'est trouvé relégué au fond du jardin, un arbre a été arraché pour permettre un meilleur ensoleillement au centre du jardin de derrière. Il est vrai qu'aucun de nos plans n'est gravé dans la pierre ; ils évoluent au fur et à mesure que nous leur donnons une forme concrète, s'adaptant aux nouvelles informations, résolvant les problèmes quand ils se présentent. Ils sont vivants et, comme tout être vivant, évoluent avec le temps.

Les idées d'hier et d'aujourd'hui fusionnent pour permettre au jardin d'évoluer gracieusement.

Je dresse des plans et des listes. Je cours de scieries en jardineries et « fais » tous les magasins de décoration d'intérieur. Non pas tant pour acheter que pour regarder, évaluer un budget et nourrir mes idées. Les variétés de plantes me sont de plus en plus familières. Je sais désormais reconnaître celles qui pousseront en hauteur et les variétés rampantes, celles qui nécessitent un soin méticuleux comme celles qui croissent sans contrainte. Comme avec des amis de fraîche date, j'apprends leurs noms, leurs traits de caractère, leurs désirs, leurs besoins et leurs goûts. J'aime particulièrement ces visualisations car elles donnent une nouvelle forme à l'image que j'ai du jardin à venir. Elles concrétisent chaque étape.

Je me demande parfois si le plaisir que j'éprouve ne vient pas justement de là : de cet encouragement que la nature m'envoie, de cette contribution qu'elle m'autorise à un projet plus grand, celui de toute la planète, par l'entremise de mon très modeste lopin de terre. Et je me dis que si nous aimons rêver à notre lieu d'implantation, lui donner forme et lui donner vie, c'est peut-être parce que le jardin a besoin que nous agissions ainsi. En faisant ce que nous aimons, nous donnons au jardin la possibilité de faire ce que lui aussi aime faire : croître et embellir, fleurir et porter des fruits. En travaillant ensemble, nous accomplissons, mon jardin et moi, notre fonction, notre but ultime, notre nature essentielle. Nous n'en sommes qu'au tout début du printemps, au tout début des plans, au tout début du commencement de notre voyage jardinier.

LE PRINTEMPS

Nous étions en mars, les jours grandissaient et
l'hiver s'en allait emportant comme toujours un
peu de notre tristesse dans son sillage ; puis avril
vint, aube de l'été, aussi frais que l'aurore, aussi
joyeux que l'enfance. Avril qui verse parfois des
pleurs de nouveau-né. Avril dont la nature a de
charmantes clartés qui passent du ciel, des
nuages, des arbres, des champs et des fleurs dans
le cœur de l'homme.

VICTOR HUGO,

Avril drapé dans sa fierté, vêtu de tous ses atours,
a mis un grain de jeunesse alentour.

SHAKESPEARE.

On ne peut accélérer le cours des saisons.
Lorsque vient le printemps, l'herbe pousse d'elle-
même.

JON KABAT-ZINN.

LE printemps est arrivé tardivement cette année. Du moins, c'est ce que tout le monde dit. Chaque chose prend son temps pour sortir du sol et s'étirer après le long sommeil hivernal. Les rhododendrons se sont enfin décidés à s'épanouir en une multitude de grosses fleurs pourpres comme autant d'étoiles lumineuses, tandis que jonquilles et tulipes s'ouvrent encore timidement.

J'aime que le printemps traîne en longueur. Car j'aime avoir beaucoup de temps pour vivre la transition entre la froidure hivernale et la chaleur de l'été, entre la neige et la sécheresse, entre la nuit et le jour resplendissant. Je peux ainsi imaginer à loisir et planifier mon jardin avec lenteur. La paresse des plantes vivaces encore endormies, osant à peine quelques tiges vertes au-dessus de la surface, ne me pèse pas. Bien au contraire. D'aucuns hocheraient la tête avec inquiétude en se demandant si telle ou telle variété va se décider à réapparaître. Quant à moi, je leur fais confiance ; elles reviendront bien quand elles seront prêtes.

Les arbres se couvrent soudain de petits boutons verts surgis de nulle part. Où que se porte mon regard, il rencontre ces lignes pointillées où percent les feuilles fraîchement écloses. Leur apparition a piqué les branches nues et inhospitalières de points innombrables comme autant de promesses de douceur, tout en décorant l'espace d'un collier de verdure aux senteurs légèrement acidulées, qui se détache timidement sur le ciel d'un bleu encore pâle. La terre s'éveille.

Et Dieu sait si les poètes ne se sont pas privés de chanter le printemps depuis le début des temps. Car le printemps est symbole d'espoir, de renaissance, de nouveaux départs, de pureté, d'optimisme et de jeunesse aussi. C'est une autre chance. Une ardoise vierge dans les mains de l'écolier. Les jours allongent et tout est promesse. La pluie nettoie les débris et les souillures de l'hiver et joue avec le soleil complice au peintre du dimanche qui donnerait un grand coup de pinceau vert sur toute chose. Petit à petit, d'autres teintes s'infiltrent dans le paysage dont la scène se transforme bientôt en un nuancier éclatant et tapageur resplendissant des couleurs d'été.

Mais nous n'en sommes pas encore là car le printemps est une saison à part entière, un moment bien particulier. Celui de la naissance et de la petite enfance. Celui encore où l'on prend conscience de l'humeur changeante de la terre. Lorsque je sors de chez moi, le froid n'agresse plus mon visage. La *clémence* est désormais de rigueur. Car il est vrai que l'air aujourd'hui est pareil à une caresse douce et complice. Je peux aller et venir de l'intérieur à l'extérieur sans que le changement d'atmosphère soit vraiment perceptible. L'air rentre par les fenêtres grandes ouvertes et rafraîchit les pièces sans que la température en soit vraiment changée. Les lilas fleurissent soudain dans le voisinage, s'annonçant de loin par d'éblouissants bouquets mauves et blancs aux senteurs incomparables. L'air est saturé de ce parfum que nous respirons à chaque instant et lorsque je sors, c'est sans cette armure désagréable de vêtements et de manteaux aussi lourds qu'encombrants.

Comment ne pas ressentir la joie qui sourd du printemps ? Comment manquer ce don extraordinaire du renouveau et de l'union possible avec la terre ? Comment oublier le chant glorieux de cette saison ? C'est pourtant ce que nous faisons trop souvent. Accaparés par le travail et la famille, distraits par la vie quotidienne, nous laissons le printemps s'envoler sans même l'avoir remarqué. Avons-nous seulement accepté ce qu'il a à nous offrir et qui correspond d'ailleurs si souvent à ce dont nous avons besoin : le plaisir de respirer un air frais et renouvelé, le contact avec la beauté et la douceur de la nature, et ce rappel rassurant que, quoi qu'il arrive, le printemps reviendra l'année suivante – une des seules certitudes sur lesquelles nous pouvons à jamais nous reposer.

Je prends alors conscience que j'accomplis certains rituels à chaque printemps. Je me balade dans le jardin mais aussi dans les champs et sur les bords du lac. Je me demande si je fais tout cela pour me rassurer : le printemps ne m'a pourtant jamais laissé tomber ! Tout est bien là, au complet : les arbres et les buissons se couvrent de feuilles aux reflets verts, rouges et bruns, touffes dégradées où des bouquets roses, blancs et pourpres éclatent en feu d'artifice ; le parfum douceâtre de l'herbe, de la terre et de l'eau mêlées emplit l'air, pénètre mes poumons, atteint mon cœur ; même la plus petite odeur de poissons venant du lac éveille en moi une sensation bien proche de l'*amour*. On voit sur le plan d'eau fleurir des pontons qui sentent encore le rabot et de petits bateaux qui en prennent possession pour la saison. Le long du rivage, des oies par centaines accompagnées de leur petite famille se pressent comme les humains sur les plages d'août, cacardant avec entrain. Quelque chose en moi me dit : *Ah oui ! je me souviens. Voilà le printemps !*

Comme un rappel de notre vraie nature, de l'unité que nous formons avec la planète, les étoiles, le soleil, la lune, le sol que nous foulons, la pierre et la terre. Avec les bourgeons, avec les feuilles qui se déroulent doucement, quelque chose s'ouvre en nous, fait tomber nos défenses et nous pousse en avant. Parce que sa course est plus longue au-dessus de l'horizon, le soleil emplit nos esprits, nos cœurs et nos corps d'un peu plus de lumière, d'un peu plus de vie chaque jour. Du reste, la communauté scientifique elle-même reconnaît ce phénomène et le baptise joliment : le blues de l'hiver. L'autre nom de cette dépression est le « trouble saisonnier de l'humeur ». Le printemps est la réponse – et le remède – de la nature à cet état dépressif.

Je suis pleine de gratitude envers ce moment où tout est frais, où tout est neuf. Car c'est bien là, véritablement, une renaissance et je me sens de nouveau jeune, à l'orée d'un chemin où tout m'est encore possible. Il y aura bientôt tant de choix à faire, tant d'activités à démarrer, tant de naissances à accompagner. Nous ressentons les mêmes sentiments qu'à l'aube d'un nouveau projet ; c'est un peu comme si j'étais enceinte de ce cycle de vie : je plante, je planifie, je mets en place le canevas afin que la vie à venir rayonne de bonheur et de santé.

Quels que soient les fruits que portera l'été, le printemps contient cet instant magique où le jardin nous apparaît en esprit dans sa glorieuse perfection. Et nous languissons de donner à ce désir une réalité.

Bien des éléments contribuent à ces joyeuses sensations car, libéré de la neige et de la froidure, de la grisaille des cieux et des paysages, le soleil en prend de plus en plus à son aise. C'est l'heure de faire table rase du passé et de prendre un nouveau départ. La nature nous y invite presque malgré nous. C'est l'heure de ressentir et de vivre en conscience tout ce qui nous entoure et qui se trouve en nous, les natures extérieure et intérieure de l'être. Que cela nous effraie, c'est possible. A fortiori si nous n'avons pas l'habitude de porter ce regard attentif sur les choses. Il se peut alors que l'on tente d'échapper à la nature, de crainte de regarder le soleil en face. Mais la terre s'éveille et nous invite à la rejoindre.

Certes, les apparences sont trompeuses. Et il paraît plus difficile de vivre comme un être éveillé. C'est sans doute pour cette raison que l'on préfère souvent un cycle d'existence ordinaire au risque de traverser la vie en somnambule. Il est si tentant de se réfugier dans un cocon, dans un univers conditionné et aseptisé. Au printemps, la nature nous expulse de cet univers protégé pour nous confronter à la réalité. Et c'est à pleins poumons qu'elle crie à notre endroit : *La terre est vivante ! Et toi aussi !* Voilà ce qui est effrayant mais ce qui reste la nouvelle la plus heureuse que je connaisse. Quoi de plus magique que de se sentir réellement, véritablement, pleinement, totalement vivant ! Seule la conscience des choses nous effraie car il s'agit d'un regard *différent*.

Être pleinement, ici et maintenant, dans l'énergie du printemps, c'est laisser tomber ses défenses, ouvrir son cœur et son esprit comme un enfant. C'est ressentir en vérité le sens profond du mot « vivant ». C'est *être, ici et maintenant,* totalement et en plénitude. Que nous répondions ou non à son appel, lorsque le printemps vient, nous ne pouvons ignorer son invitation. Car il chante à nos oreilles et le son de sa voix résonne jusque dans notre mental, nos émotions, nos relations avec les autres, notre travail, et en règle générale dans toutes les facettes de nos vies.

Impossible d'y échapper, que nous le voulions ou non. Et si nous lâchons prise pour ne plus faire qu'un avec la terre qui s'éveille, quelque chose se passe en nous. Nous nous éveillons aussi. Nous écoutons alors le pépiement des oiseaux d'une autre oreille, nous voyons l'herbe pousser sous nos pieds, les feuilles se déployer sous nos yeux. Nous remarquons les écureuils qui se courent après à la recherche de nourriture ou pour s'amuser. Nous ressentons les désirs puissants dans notre cœur d'humain relié à tous les autres cœurs d'humains, les aspirations à l'amour, la paix et la joie, comme la tendance naturelle qui incline chacun à la compassion et à la beauté. Cette année, une fois de plus, notre nature essentielle frappe à la porte, et sonne le réveil. La seule question qui reste en suspens est la suivante : *Sommes-nous à son écoute ?*

LE POTAGER

Si tu peux rencontrer
Triomphe après Défaite
et recevoir ces deux menteurs
d'un même front.

RUDYARD KIPLING.

Il n'y a pas là de joie mais un grand calme.

LORD ALFRED TENNYSON.

J'AI passé des jours et des jours à travailler aux planches du potager ; après avoir déterré les mottes de gazon, j'ai aménagé le coffrage en bois, coupé les racines des arbres, rempli l'espace ainsi nettoyé de compost, de tourbe et de terreau. Puis j'ai acheté des graines et des plants. J'ai bien calculé la place de chacun d'eux en fonction de l'ensoleillement, de son environnement et du temps nécessaire à sa maturité. J'ai planté huit plants de poivrons, seize de tomates, en veillant – à l'instar de ma grand-mère – à planter juste à côté de chacun d'eux un pied de basilic. J'y ai ajouté une rangée de poireaux, quatre plants d'aubergines, six de concombres et six de courgettes. J'ai prévu des rangées de laitues, de haricots verts et de carottes ainsi qu'une plantation abondante d'oignons.

À l'extérieur se trouvent les plantes vivaces, les buissons de lilas et un jardin d'herbes aromatiques riche de nouvelles variétés tout juste plantées, à l'exception bien sûr de la menthe. Celle-ci aime tant se répandre et prendre possession de tout le jardin qu'il faut la confiner dans son propre coffrage.

Le matin qui suivit cette mémorable journée de plantations, il plut à torrents. Très tôt, j'entendais déjà de lourds paquets d'eau sur le toit de ma maison et tout ce que je pouvais faire, c'était me dire : *Pas ça, mon Dieu, c'est la ruine de mon jardin*. Dès que la pluie se fut calmée, je vis par la fenêtre que les deux planches étaient devenues deux piscines d'où l'eau ne pouvait s'écouler. Et plus le temps passait, plus l'évidence s'imposait ; la terre n'acceptait plus l'eau qui ne pouvait se déverser hors du coffrage. Une grande partie de mon jardin était donc bel et bien fichue. Où avais-je commis une erreur ? Aurais-je dû mettre plus de terre pour laisser moins de place à cette eau ? Aurais-je dû faire des trous dans les planches pour permettre l'écoulement de l'excès d'eau ? Ou, et c'était la solution la plus simple, simplement mettre les plants en terre dans les espaces prévus à cet effet sans les entourer du coffrage de bois ? Rien d'autre n'était abîmé. Les herbes aromatiques, bien qu'un peu sonnées par la force de l'averse, se redressaient vaillamment toutes rafraîchies et nourries qu'elles étaient par le déluge. Nettoyées par la douche qu'elles avaient reçue, les plantes vivaces étincelaient. Même les petites plantes en pots que je couvais pour le compte d'un ami en cours de déménagement avaient bonne allure. Seules les planches du potager posaient problème. J'avais, c'était clair, commis une *grossière* erreur en les aménageant.

À une certaine époque de ma vie, j'aurais été extrêmement contrariée par un tel événement. Je me serais mise à pleurer, voire à jurer et je me serais jetée dehors sous la pluie pour écoper l'eau afin de sauver les nouvelles plantations. Je me serais sentie bien ridicule et honteuse de devoir affronter le regard de mon voisin que j'avais repéré la veille, le nez au-dessus de la barrière, observant silencieusement mes allées et venues. Et j'aurais senti la brûlure de cet échec au creux de mon estomac pendant plusieurs jours.

Aujourd'hui je reste sagement assise à ma table de cuisine et j'observe tout ceci de la fenêtre en pensant qu'il me faudra bientôt songer à de nouvelles plantations, acheter de nouvelles graines. Je rassemble calmement mes cheveux en une queue de cheval, me verse une autre tasse de thé, pars à la recherche de mes gants de jardin avant de mettre le nez dehors.

Le ciel est clair et débarrassé de nuages. Que faire, si tant est qu'il y ait quelque chose à faire ? Je vais constater l'étendue des dégâts à la manière d'un président qui se rend sur les ruines du dernier tremblement de terre. Et ma première impression n'est pas si mauvaise. Il semble y avoir plus de peur que de mal. L'eau tente de toutes ses faibles forces de se frayer un chemin. Et sans vraiment y penser, je me penche pour tenter de soulever un tout petit peu les planches de bois. Elles se déterrent facilement et je les maintiens hors de terre, ce qui permet à la piscine de se vider instantanément dans la pelouse avoisinante. Je fais de même avec le second coffrage et me mets en devoir de creuser de petites tranchées dans le chemin pour permettre à l'eau d'être mieux drainée à partir des flaques qui se sont formées, le sol s'étant affaissé en certains endroits sous la pluie. Il ne me reste plus qu'à insérer quelques pierres plates sous les coffrages afin que l'eau continue de s'écouler tranquillement.

En me relevant, j'ai remarqué que les plantes se portaient comme un charme. Inutile d'acheter d'autres légumes ; seul un plant de tomates pique du nez et nécessitera que l'on consolide son assise. Les graines, quant à elles, se sont simplement enfoncées dans le sol détrempé et il me suffit de repousser en terre les quelques haricots qui flottent à la surface. Inutile donc d'entreprendre une action, il suffisait d'attendre et d'observer ce qui germerait. De toute façon, il me reste encore des graines et peu m'importe que les rangées soient aussi parfaitement droites qu'avant l'orage.

C'est une vraie chance que ce déluge soit intervenu juste au début de la saison car j'ai ainsi pris conscience rapidement du problème du drainage. *Les événements surviennent afin que nous puissions en tirer un enseignement* – voilà qui est simple. Pourtant, que de temps et de tracas avant de comprendre cette évidence ! Toute à ma révolte et à ma déception, aurais-je vu en un autre temps la simplicité avec laquelle je pouvais remédier au problème ? Et toute chavirée que j'aurais été, les choses en auraient-elles pour autant changé ? Aujourd'hui, j'étais plutôt prête à m'excuser auprès des plantes et des graines d'avoir pu commettre une telle erreur. Elles maîtrisaient parfaitement la situation et faisaient même tout pour arranger les choses ! Je ne sais pas vraiment ce qui m'a poussée à soulever le cadre de bois. Est-ce un élan, un réflexe ou bien encore la voix du jardin qui murmurait à mon oreille ? Je sais pertinemment en revanche que je ne m'attendais pas à les soulever si facilement et à résoudre le problème avec tant de rapidité et à si peu de frais. Combien de choses pourraient « marcher » si seulement on essayait de les faire marcher sans douter de leur efficacité ? Car nous voulons des garanties ! Quand il faudrait faire l'expérience de chaque chose avec un cœur et un esprit ouverts. Nous voulons raisonner sur tout, planifier, théoriser alors qu'il suffirait sans doute d'essayer. Il est clair que j'aurais pu poser les idées sur le papier avant de les mettre en application ; peut-être aurais-je obtenu les mêmes résultats. Mais ce n'est pas ce qui s'est passé. J'ai simplement lâché prise et fais ce qui venait naturellement.

Le jardin s'est fort bien remis de toute cette eau tombée du ciel, tout comme moi d'ailleurs. Ce fut même là une expérience plaisante, voire magique. Peut-être en effet le jardin a-t-il compris qu'il peut me faire confiance et que je suis capable de l'aider, et que, loin de lui imposer ma propre volonté, je suis maintenant en mesure de lui donner ce dont il a réellement besoin. Parce que je le laisse me dire ce qu'il faut faire. Parce que j'œuvre en harmonie avec lui. Mais les choses auraient pu tourner bien différemment si je m'étais laissée emporter par la colère, réaction d'une certaine logique en apparence du moins.

Je sais maintenant que mon jardin peut se satisfaire de conditions imparfaites. Pourtant la nature est toujours parfaite. Mais *nous autres humains* répondons à cette perfection par notre peur, notre colère et nos doutes. Peut-être que cette pluie torrentielle était ce qui pouvait arriver de mieux – tant à mon jardin qu'à moi-même. Le premier ne semble pas moins présentable et, si mes plantes se développent de façon prodigieuse, c'est sans doute que leurs racines s'abreuvent joyeusement de ce supplément infini de nourriture. Quant à moi, j'ai repris confiance et suis aujourd'hui un peu plus assurée que mon jardin et moi pouvons ensemble gérer ce qui adviendra.

Je me souviens de cet adage qui est vrai en horticulture comme dans la vie : *un peu de calme fait un long chemin.*

SE METTRE À L'ŒUVRE
LE TRAVAIL

> Le non-faire peut émerger de l'action comme de l'immobilité. L'immobilité intérieure de celui qui agit se mêle à l'activité extérieure de telle façon que l'action agit par elle-même.
>
> JON KABAT-ZINN.

Au cours du printemps, le jardinier déploie une activité presque frénétique. Après le travail de l'imagination et l'engouement de la planification vient le temps de *l'action*. Les décisions que l'on a prises se matérialisent en listes de courses ; les idées qui nous sont venues à l'esprit sont hiérarchisées dans un récapitulatif. Entre l'hibernation des mois de froidure et l'entretien occasionnel de l'été se situe cette période ô combien agitée.

Car le travail est loin de manquer en cette période de l'année. Un peu plus tard, les plantes pousseront à leur propre rythme et le jardin s'épanouira de lui-même si l'on ne manque pas d'arroser, de désherber et de récolter régulièrement. Mais au tout début du printemps, tel n'est pas le cas. Il faut *faire* un nombre incalculable de choses. Et bien qu'en apparence le concept du « faire » soit opposé à l'idée du zen, le travail physique du printemps est l'occasion idéale de pratiquer. Car tout est dans la façon dont on « fait » les choses.

Le simple fait de s'immerger totalement dans une activité la transforme en une expérience zen. Le temps s'immobilise en apparence ; rien d'autre ne compte plus à vos yeux que l'action en cours. Passé et futur n'ont pas leur place dans l'esprit, totalement absorbé par l'instant présent. Vous *devenez* l'action. Vous *êtes* l'action et non plus celui qui agit. Le travail relativement dur qui préside à la création d'un jardin constitue une excellente occasion de vivre une expérience de cette sorte. Car voilà bien le moment de nous perdre dans le travail, de nous fondre en lui, de ne faire qu'un avec lui, de « devenir le travail ». Des tâches répétitives et purement physiques permettent naturellement à notre ego d'abandonner le terrain en imposant silence aux bavardages incessants de l'esprit. Le flux d'énergie nous emporte. Nous fusionnons avec l'énergie. Bêcher, désherber, planter nous rapprochent plus que jamais de notre nature originelle. Nous devenons ces abeilles ou ces fourmis laborieuses qui accomplissent leurs tâches intuitivement, totalement présentes à ce qu'elles font.

Comment être à la fois attentif et sans discernement ?

Le terme « attention » décrit ici le laisser-faire de la pensée, de la décision, du raisonnement et du jugement. Dans ce sens, être attentif c'est *simplement faire*. L'être dans sa totalité devient l'action qu'il accomplit et il n'y a plus de séparation entre l'acteur et l'action. L'être s'oublie pendant un moment, s'autorisant à s'intégrer à quelque chose d'autre – en l'occurrence l'énergie de l'univers et l'action qui en découle naturellement. C'est la suite logique de toute la préparation qui a précédé. Mais c'est aussi le préalable de l'étape suivante, où l'on se relève pour contempler la tâche accomplie. C'est cet instant magique où rien ne compte que la tâche elle-même.

Cette année, le 4 juillet, jour de la fête nationale, tombe un mardi. Nous avons donc bénéficié d'un pont permettant de s'adonner à loisir au jardinage. Samedi, le temps était chaud, sans plus, et légèrement couvert sans être pluvieux. Temps idéal en la matière. Je me suis mise tôt le matin à l'ouvrage, ne cessant de bêcher, de désherber et de planter, ce qui me mena à la fin de l'après-midi sans que je m'en sois vraiment aperçue. Je n'avais même pas pris le temps de déjeuner. Je m'étais totalement immergée dans le jardinage.

Étiré, ramassé puis étiré de nouveau, tordu dans tel ou tel sens, mon corps avait été mis à rude épreuve. J'avais plutôt joué sur mes jambes plutôt que sur mon dos, attentive en cela aux recommandations des experts afin d'éviter les maux de dos. Mes muscles répondaient à mes ordres et je les poussais toujours juste un petit peu plus loin, leur demandant de travailler juste un peu plus dur et un peu plus longtemps. À la fin de la journée ils étaient endoloris mais je me sentais bien. Et lorsque le lendemain matin je m'éveillais un peu courbatue, je m'étirais pour les réchauffer avant une nouvelle journée de jardinage. Je pensais qu'en les faisant travailler, ils continueraient d'être performants, tandis que si je m'arrêtais soudain ils se raidiraient. J'avalai une aspirine et repris du service. Je ne tins pas compte des petites douleurs et continuai mon travail pendant deux jours pleins, toujours courbée, à genoux, assise, à changer les iris de place et planter des lys, du phlox, des giroflées, de la bruyère et de la véronique. Je m'occupai de résoudre les problèmes survenus dans mon potager sans oublier d'y ajouter des pétunias, de l'anis, de l'ail et quelques soucis, prenant soin également des oignons et du basilic, veillant à redonner fière allure à mes plants de poivrons soudain envahis de pucerons.

Après trois jours pleins de ce travail incessant, mon jardin avait vraiment belle allure pour entamer la saison. J'étais satisfaite et triomphante. Les douleurs dans les mollets et dans les cuisses étaient autant de blessures de guerre dont j'étais fière. Ne dit-on pas : *On n'a rien sans mal ?* J'avais bien gagné ma fatigue et me régalais d'avance de cette journée de vacances : au programme barbecue et feu d'artifice.

Mais le lendemain matin, jour de fête, je me réveillai dans un état de raideur extrême. Les muscles postérieurs de mes jambes pesaient des tonnes et m'arrachaient des cris de douleur. Je pouvais à peine marcher. Impossible de faire le moindre mouvement sans que cela me demande un effort considérable. J'engloutis quelques antalgiques et tâchai de choisir entre la chaleur et la glace pour soulager mon malheur. J'optai finalement pour la seconde solution parce que la partie concernée était enflée et je passai la majeure de cette journée de repos misérablement avachie dans l'immobilité la plus complète, des paquets de glace sous les jambes. La journée était à l'orage, ce qui porta un coup fatal à mes projets de feu d'artifice sans faciliter celui du barbecue. Il me fallut jouer entre les gouttes et ce 4 juillet se finit en sifflement mouillé au lieu du super bang attendu. Mais lorsque nous sommes accaparés par la douleur, il nous est difficile de penser à autre chose et je me demandai alors pourquoi les muscles de mes jambes n'avaient pas répondu à mon attente. À quel moment avaient-ils lâché, étais-je allée trop loin ? Quel message n'avais-je pas entendu, m'intimant l'ordre de prendre du repos, une collation, un verre d'eau ou de m'accorder une petite sieste ? Quand donc avais-je abandonné cette attitude zen consistant à suivre le flux de l'énergie naturelle et étais-je redevenue la vieille conquérante que je fustigeais pourtant ? Quelles étaient donc les décisions qui m'avaient amenée à ne pas « laisser faire » et à ne pas écouter ce qui m'était pourtant signalé ? Quand donc avais-je cessé d'être l'action, préférant l'arrogance de celle qui accomplit l'action ?

Jardiner est un travail difficile. Les muscles sont très sollicités. Dépasser ses limites n'est pas naturel. Car c'est un comportement autodestructeur. Il n'est pas zen. J'avais cessé d'écouter la voix douce de la nature murmurer à mon oreille, la remplaçant par les sollicitations de mon ego qui menait le ban : *Allez, encore un effort, fais encore cela ; il est trop tôt pour t'arrêter ; si tu tiens bon, tu finiras avant la nuit.* Sans m'en rendre compte, j'avais dépassé l'état d'immersion et de fusion dans le travail et j'étais rentrée dans le domaine de l'ego. Ce week-end, j'avais oublié d'être zen dans ma pratique du jardinage.

Voilà un syndrome bien courant que celui qui consiste à faire un pas de trop et dépasser la limite. Mon époux aussi avait travaillé jusqu'à ce qu'une douleur musculaire lui intime l'ordre de s'arrêter. Mon voisin avait peint sa maison jusqu'à ce que son genou malade le lâche au point de nécessiter une intervention chirurgicale. Nous travaillons jusqu'à ce que nous ne soyons plus capables de le faire et nous en sommes fiers ! Notre ego d'humain nous dit que c'est ce qu'il convient de faire. Mais qu'est-ce qui convient vraiment ? Et qu'est-ce qui est bon ? J'ai passé une semaine percluse de douleurs sans pouvoir marcher normalement et j'ai mis plus de temps encore à retrouver toute ma mobilité. Mon époux s'est claqué un muscle du bras, ce qui l'a contraint à un arrêt de plusieurs jours et lui a fait mal. Quant à mon voisin, il a perdu tout l'été à cause de cette opération. Il me semble que si nous n'étions pas allés si loin, nous aurions pu gagner beaucoup.

Le travail est une chose admirable. Il nous donne la joie de la non-action au sein même de l'action, dans l'instant présent. Il nous donne aussi le plaisir de l'accomplissement de l'action. Au fil de la saison, au fil de ma flânerie pendant les moments plus calmes ménagés par l'évolution naturelle de mon jardin, je saurai me souvenir de cette période laborieuse, voire frénétique, et je me souviendrai que j'aurais pu en profiter encore plus pleinement si j'avais pratiqué cette démarche authentiquement zen : l'attention.

LE CHÊNE

Si tu comprends, les choses sont comme elles
sont, si tu ne comprends pas, les choses sont
comme elles sont.

MAXIME ZEN.

En ce temps-là, presque tous les domaines de ma vie
étaient perturbés. Je m'étais accrochée à l'espoir et à la foi
pendant des mois mais les problèmes ne faisaient qu'empi-
rer. Rien de ce que je voulais, souhaitais ou visualisais n'arrivait. Les gens en qui j'avais confiance m'avaient menti ;
ils avaient même volé mon travail, ce travail qui est la seule
propriété qu'un écrivain puisse revendiquer. Et ces événements survinrent bien entendu à une période où j'avais à
peine les moyens de supporter le poids financier de cette
perte. Tout s'effondrait, semblait-il. J'étais parvenue à un
point de non-retour et me sentais abandonnée, totalement
désespérée. Et lorsque j'en parle aujourd'hui, même après
toutes ces années écoulées, je suis encore en état de choc
devant l'étendue de la tromperie dont j'ai été l'objet. Le
mal que certaines personnes peuvent faire à d'autres ne

cesse de m'angoisser et les sensations qu'a fait naître en moi cette duplicité me bouleversent tout autant que la duplicité elle-même.

Vivre zen n'a jamais voulu dire que rien n'arrivera plus autour de nous, que rien ne nous arrivera plus jamais. Accident, tremblement de terre et bombardement perdureront qui causeront encore beaucoup de souffrance. La cruauté et l'ignorance seront toujours une plaie. La seule question essentielle à se poser quant à cet état de fait est la suivante : « Quelle est ma réponse à ces événements, et comment vais-je réagir par rapport à l'épreuve qui m'est envoyée ? » Ce qui m'est arrivé a rempli mon cœur de colère – pire, de rage – et d'un profond chagrin. J'ai dû me battre contre moi-même et contre mes propres doutes. Je ne voulais pas me sentir meurtrie, en colère ou revancharde. Pourtant j'avais bel et bien été spoliée, j'avais bel et bien été victime. Or, surgissait là encore un mot inacceptable ; je ne voulais pas devenir une victime. Allais-je tendre l'autre joue ? Allais-je laisser faire ?

Devant cette alternative, je décidai de tirer le Yi-King dans l'espoir de glaner quelques maximes de sagesse de l'oracle chinois millénaire. Je jetai trois pièces six fois ce qui me donna l'hexagramme 28 : « la prépondérance du grand ». À la lumière de deux interprétations différentes, je découvris que, dans bien des domaines, les conflits qui empoisonnaient ma vie parvenaient à leur paroxysme ; il n'y avait rien à faire pour les arrêter ou les esquiver plus longtemps. L'oracle m'invitait à me maintenir debout, droite comme un arbre solide tandis que les eaux de la mer déchaînée déferleraient autour de moi ; elle s'apaiserait bientôt car c'est dans la nature de l'élément liquide que de rechercher son propre niveau et de redevenir étale. Je devais rester calme et ferme dans la tempête et sortirais vainqueur de celle-ci.

L'image de l'arbre solide résistant aux flots m'obséda longtemps. Au fond de mon jardin se dresse un chêne géant au moins centenaire qui a résisté aux hivers glacials et enneigés, aux étés les plus torrides, aux orages les plus violents et aux pluies les plus torrentielles. Il est toujours là, droit et fermement enraciné dans le sol malgré les modifications successives. Rien ne l'a atteint, pas même l'amputation de ses branches lors de l'installation des lignes électriques et téléphoniques, ni le goudronnage du sol. C'est avec la même constance qu'il a permis aux enfants de plusieurs générations et aux écureuils de jouer dans ses branches et qu'il a accueilli les nids des oiseaux.

L'arbre immense était resté le même, tout au moins dans sa nature profonde, malgré les nombreux changements qu'il avait vécus. Toujours droit, toujours fort, épais et en bonne santé. Il n'a pas ployé, il ne s'est pas brisé. Il est toujours lui-même – stable et vivace – quelle que soit l'épreuve qu'il doive surmonter. Il ne ressent ni colère, ni émotion, ni peine, ni angoisse. Il n'a pas d'ego et pourtant il résiste à toutes les attaques. C'est parce qu'il sert sa nature essentielle, son esprit véritable.

Les choses ne s'améliorèrent pas d'un coup de baguette magique après que j'eus tiré le Yi-King. Bien au contraire : les recoins les plus paisibles en apparence de ma vie connurent des éruptions soudaines. Mais je ne cessais de penser à ce chêne là-bas au fond du verger toujours droit, fort et calme au milieu de la tempête et des éclairs. Cette vision m'aida à garder mon calme et à maintenir la paix de mon esprit au moment où quelques problèmes très sérieux parvenaient à leur point critique. J'appris alors à faire la différence entre deux réactions. La première consiste à forcer avec obstination les choses et les gens à correspondre à ce que l'on veut qu'ils soient ; la seconde à rester fermement établi en soi-même, dans notre vraie nature et notre être essentiel en faisant confiance à la nature essentielle de l'univers.

Et je pris soudain conscience d'un changement de comportement. À m'imaginer tel le chêne solide dans la tempête, je n'avais plus à combattre les gens et les événements ; je ne me laissais plus submerger, noyer dans des arguments sans consistance et des jeux de pouvoir. Je ne me laissais plus engluer dans des réactions désespérées et craintives. J'étais pacifiée. Avec tranquillité, je restais droite et solidement établie tel le chêne au fil du déroulement des faits.

Quand il en fut temps, certains problèmes se résolurent d'eux-mêmes, d'autres enfin disparurent comme par enchantement devant mon attitude calme. Et comme c'est dans la nature de l'eau que de chercher son propre niveau et de redevenir étale, c'est dans la nature des problèmes de se résoudre finalement d'une façon ou d'une autre. C'est dans la nature de la peine et de la colère de s'apaiser. C'est dans la nature de la vie d'aller de changements en changements et d'évoluer. Je m'acheminais vers la réussite. Elle ne fut pas le fruit de ma revanche. Elle fut le fruit de ma constance à suivre la voie juste de ma véritable nature et de la paix de l'esprit.

Le zen ne *réagit* pas. Il *répond* par la force tranquille et la paix du chêne géant. Certes, on m'avait menti et j'avais été spoliée. C'était là un état de fait mais non une sentence de misère et de douleur. Aujourd'hui je suis très reconnaissante à la vie de m'avoir fait vivre cette expérience car elle m'a enseigné la leçon du grand chêne et la force qui siège dans l'acceptation paisible de ce qui est. Elle m'a appris à servir mon esprit, et non mon ego. Et si je suis toujours profondément déçue, le cynisme n'a pas gagné une autre victime. Je n'ai pas transformé ma nature essentielle à cause de ce que les autres m'ont fait et de ce qui est arrivé. J'ai découvert en moi la force du grand chêne.

Ce faisant, le chêne remplit tout simplement son rôle de chêne. *Il est*, fidèle à sa nature essentielle. Tout comme je suis moi-même fidèle à ma nature essentielle en restant calme, ferme et paisible ; en ayant un comportement responsable ; en résistant aux blessures de la vie et en continuant mon chemin pour mieux en guérir ; et je suis fidèle à ma nature profonde lorsque je quitte avec élégance le comportement et les relations qui furent miennes mais ne sont plus justes pour mon chemin. Car alors j'accepte de grandir et de me développer vers de nouvelles directions tout en restant fermement enracinée dans ce que je suis au plus intime de mon être. Ce qui ne m'empêche pas d'être toujours surprise par la brutalité des orages de la vie.

Un jour viendra, plus ou moins proche, où le grand chêne tombera de toute sa hauteur. Ma vie sur cette terre arrivera également un jour à son terme. Mais dans cette attente, je suivrai l'exemple du grand chêne. Restons fermement établis sous le soleil et la pluie, sous la chaleur accablante comme sous le souffle léger d'une brise estivale, ou la solitude glacée d'une nuit d'hiver. Restons droits et grands dans le déchaînement des flots et des éclairs. C'est ainsi que nous serons fidèles à notre nature tout en invitant indirectement autrui à suivre cet exemple. Car ainsi nous *serons, simplement* – moi, vous, et le grand chêne puissant.

VOICI LE SOLEIL
QUI POINT

C'est l'été –
Et la vie devient facile.

IRA GERSCHWIN.

Avec l'été, la chaleur revient, et avec elle des souvenirs, des sensations et des images. D'abord ces odeurs immédiatement identifiables de la plage et de la ville, du terrain de sport comme des champs de blé, le fumet d'un barbecue et la fragrance des arbres en fleurs ; la sensation du sable et de la terre sous les pieds nus, de la sueur sur la peau, de l'eau salée séchée par le soleil ; le goût des haricots verts frais, des petits pois, de la salade, et des melons juteux mais aussi celui de la crème glacée qui dégouline le long des doigts ; la vue trouve aussi son compte, avec le spectacle reposant des champs verdoyants à perte de vue et des parterres de fleurs éclatants de couleurs. L'été, c'est plus qu'une saison ; c'est une émotion, une attitude. Si le printemps est l'allégorie de la renaissance et de la jeunesse, l'été symbolise le cœur de la liberté, son esprit et son essence.

Depuis notre plus tendre enfance, l'été est synonyme de liberté, de vie sans contrainte d'horaire puisqu'il n'y a plus d'école, sans contrainte d'espace puisque, en vivant dehors, on abolit les murs. C'est le temps des vacances et des jeux ; le temps où l'on s'évade. Le temps aussi de paresser dans un hamac, un livre à la main ou le temps d'une petite sieste ; de se rafraîchir dans un lac ou une piscine ; de faire de la bicyclette, de la natation, ou du volley-ball. C'est le temps où l'on mange dehors, sur la terrasse, à la plage, sous la fraîcheur de la tonnelle. C'est le temps enfin où l'on fait éclater des feux d'artifice et où l'on ouvre les bouches d'incendie. C'est le temps des jardins.

Lorsque j'étais enfant, l'été représentait pour moi des matinées entières passées à dormir suivies d'après-midi secrets où je me réfugiais dans les branches fraîches d'un arbre voisin de la maison pour me plonger avec bonheur dans les pages d'un livre. Avec les copains, nous faisions et refaisions le tour du pâté de maison à vélo sans but précis stoppant selon notre bon vouloir, juste pour le plaisir. Nous tentions de cuire des œufs sur les trottoirs chauffés à blanc par le soleil ou bien nous faisions la course en maillot de bain sous la pluie. Nous attrapions des lucioles et retenions prisonnières les chenilles avec l'espoir – toujours déçu d'ailleurs – qu'elles se transformeraient devant nous en papillons. Bien plus, l'été c'était d'abord et avant tout le jardin de ma grand-mère, les effluves des plants de tomates, de basilic et de menthe ; c'était le plaisir de crever les pois de senteur qui grimpaient sur la treille par-dessus le banc que mon grand-père avait lui-même fabriqué. Celui aussi d'engloutir le sandwich aux poivrons frits et la glace italienne au citron, paresseusement allongés sur une couverture au fond du jardin.

Lorsque je fus un peu plus âgée, l'été devint le temps de la plage, des amis, des surprises-parties et des garçons. Des maillots de bain mouillés et collants de sable, des crèmes à bronzer, des jeux de volley, mais aussi des flirts sous l'œil bienveillant et complice de la lune. Nous jouions aux cartes sur les serviettes et flirtions avec les garçons étrangers. Nous lisions des magazines en buvant des sodas parfois relevés d'alcool. Nous allions à nos premiers « petits boulots » en conduisant la voiture des parents pour la première fois. Nous faisions un tas de choses pour la première fois car nous étions libérés de la surveillance des adultes, de l'horaire du couvre-feu dans les dortoirs de l'internat, et des transports en commun. Nous étions libérés des études et du souci des diplômes et de l'avenir, libérés de la neige, du froid, des vêtements lourds. Mais à cet âge-là, nous ne songions pas beaucoup à jardiner.

C'est à l'âge adulte que l'été a commencé de perdre à mes yeux son statut privilégié. On découvre trop vite que le travail – à l'inverse de l'école ou de la faculté – dure toute l'année et ne nous accorde que peu de liberté. Les vacances ont leurs exigences ; il faut les préparer, les financer, faire les bagages, prévoir le mode de transport, la nourriture, et mille autres détails. L'été devient plutôt le temps des problèmes car il faut faire garder les enfants en âge scolaire. Et la chaleur apporte avec elle son lot de fatigue, d'insectes. Il n'est plus question de liberté.

Pourtant la magie du jardinage réapparut dans ma vie au moment où j'eus une famille et un lopin de terre bien à moi. Je redécouvrais alors les joies de la terre, des fleurs et des fruits. Et c'est en regardant ma fille s'y amuser que je retrouvai les sensations éprouvées dans le jardin de ma grand-mère. Je m'y réfugiais chaque jour après le travail et, tous les week-ends, les senteurs qui montaient de la terre, la texture du sol et des souches, des floraisons et de la végétation me révélaient un peu plus à moi-même. C'est dans la nature que j'ai recouvré ma liberté.

On m'avait dit que certaines personnes ont la main verte et d'autres pas. Personnellement, je me suis aperçue que moins on se faisait de souci et mieux s'en portait le jardin. Il n'y a qu'à planter. Les impatiences à l'ombre et les soucis au soleil ; les plants de tomates sur un tuteur contre la barrière, les concombres à l'assaut d'un treillis ; les volubilis s'enroulent sur le poteau qui soutient la petite maison perchée aménagée pour les oiseaux : elle sera bientôt tapissée de lierre ; les brocolis, les choux de Bruxelles, les carottes, les betteraves, les laitues, les haricots et les poivrons trouvent leur place là où il y en a. Certes, toutes ces plantations ne furent pas de brillants succès mais qu'importe ; quand je sortais, c'était pour m'amuser, multiplier les expériences et profiter de la liberté que donne l'absence de jugement, de diplôme et de recherche de la perfection. J'étais simplement libre de jouer dans mon petit lopin de terre.

Je suis sûre que je ne serais pas la jardinière que je suis aujourd'hui, enthousiaste et aimante mais bien peu experte, si j'avais commencé par planifier les plantations en fonction de leur résultat et si j'avais oublié que l'été est d'abord le temps des loisirs. Car mon jardin fut mon terrain de jeux où rien ne m'obligeait à être parfaite. À dire vrai, mes légumes et moi jouions ensemble ; la terre et les arbres se joignaient à notre ronde. L'été les faisait grandir, grimper, ramper, fleurir et porter des fruits. Ils avaient leur dose d'ensoleillement, d'air chaud ou froid, de pluie et d'attention lorsque je me penchais sur leur croissance. Et que peut-il y avoir de plus plaisant pour un être vivant qui doit passer le reste de l'année à hiberner sous un sol froid et inhospitalier ? Les fleurs et les légumes ne recherchent pas forcément les gens « à la main verte » mais plutôt des compagnons qui ont le sens de la fête et de la liberté. Nous étions tous, les fleurs, les arbres et moi, en vacances en même temps.

Une maxime zen dit que, lorsque vient l'été, l'été est partout. À la campagne et à la ville, au bord du lac et sur le trottoir goudronné, dans le bureau à l'air conditionné ou au fin fond du recoin le plus sombre de mon jardin. L'été s'étend à perte de vue ; il infiltre le ciel comme la terre, s'insinue dans l'air de mes poumons et dans les images qui défilent devant moi. Impossible de lui échapper. L'été vit et respire par nous, en nous, autour de nous, sous nos pieds et au-dessus de nos têtes. Nos enfants grimpent aux arbres, font du vélo et tentent à leur tour de cuire des œufs sur le trottoir ; de la plage, et des voitures, montent les rires des adolescents que l'on entend résonner jusqu'au soir au clair de lune ; et les gens âgés nouent un mouchoir sur leur front pour jouer aux échecs. Dans toute la ville, les tomates vertes et rondes pendent lourdement à leurs rameaux et les pétunias sont aussi rouges devant le Capitole que dans les terrains vagues transformés en jardins communautaires. Tout respire l'été. Tout est l'été.

C'est aussi l'été pour nos amis à quatre pattes, chats et chiens, mais aussi pour les oiseaux, les écureuils, le lapin et même le raton laveur qui partagent notre vie. C'est l'été pour l'herbe mais aussi pour les pissenlits, les soucis, le chêne et le tournesol. C'est l'été partout, au-dedans comme au-dehors ; au grenier et au cellier. C'est l'été pour le poisson dans la fraîcheur du courant et pour le pêcheur qui le guette sur le ponton baigné de soleil. L'été ne choisit pas et ne discerne pas. L'été *est*, simplement, partout.

Que je jardine ou non, il suffit que l'été vienne pour que je me mette à l'ouvrage. Que je sois dépendante ou non, il suffit que l'été vienne pour que je me sente libre. Car je laisse l'été entrer en moi, dans mes os, mes cellules et mon cœur. Il sera bien temps de penser à l'automne et à l'hiver quand ce sera la saison ; mais je suis en été pendant tout le temps qu'il dure. Cette année plus que jamais je serai attentive à cette saison, tout comme je l'étais enfant et adolescente. J'en savourerai chaque jour, chaque instant, chaque rayon de soleil et chaque goutte de pluie chaude sur mon visage. Je me mettrai à l'écoute du chant des oiseaux, tendrai l'oreille au martèlement des piverts et aux carillons du vent dans les feuilles des arbres. Je m'enivrerai de l'odeur des feuilles et du parfum des fleurs, sans oublier les exhalaisons des autobus urbains et le fumet si particulier des steaks que l'on fait cuire au feu de bois au restaurant du coin.

Que j'en sois consciente ou non, l'été est partout. Cette année, je sais que je vivrai cette saison en conscience.

———◆———

SAINT FRANÇOIS D'ASSISE

> Quelqu'un vint un jour voir saint François et le
> trouva binant dans son jardin. Il lui demanda ce
> qu'il ferait si on lui apprenait que le lendemain
> verrait la fin du monde. Sans hésiter un seul ins-
> tant, saint François répondit : « Je continuerai de
> biner.
>
> ABD AL-HAYY MOORE.

J E reconnais que j'ai un côté un peu snob quand il s'agit
des statues de jardin. Je n'ai jamais pu comprendre pourquoi on éprouvait le besoin de compléter l'ordonnance de
la nature par des piscines, des mangeoires à oiseaux ou des
cerfs en plastique. Je n'ai jamais pu comprendre le désir
qui anime certaines personnes de parsemer leur pelouse de
nains multicolores et de flamants roses. La plus modeste
urne grecque comme les chérubins en plâtre ne convien-
nent à mon avis qu'aux grands États et à leurs jardins très
formalistes. Même dans ce contexte, je ne peux pas dire
que j'en sois folle. Quant à moi, si j'avais cette somme à
dépenser, je ne ponctuerais certainement pas ma propriété
d'imitations de Michel-Ange à bon marché.

C'est la raison pour laquelle je n'ai jamais fait tellement attention à ce genre d'articles, n'adressant qu'une grimace condescendante au vendeur venu me les proposer. Jusqu'au jour où je suis tombée en arrêt devant l'une d'elles dans un grand magasin. Alors que je me dirigeai à pas pressés vers le rayon vaisselle pour choisir un cadeau dans une liste de mariage, je passai devant le rayon des jardinières, articles de jardin et de ferronnerie. Parmi cet ensemble, on trouvait quelques statues en pierre dans des gris et des vert clair noircis à l'antique pour mieux dissimuler leurs fissures. Il y avait là des gargouilles, des chérubins, des anges et un enfant assis lisant un livre. Il y avait surtout une statue de saint François d'Assise. Sculptée – ou peut-être moulée – dans une pierre très lourde (à moins que ce ne soit du ciment), d'un vert antique un peu passé, elle faisait bien soixante centimètres de haut.

Je m'arrêtai et ne cessai de la fixer. Rien en elle ne trahissait le mauvais goût. Bien au contraire, elle était d'une stupéfiante beauté et je ne pouvais en détourner les yeux. Je l'imaginais dans mon jardin à moitié cachée parmi la verdure dans un coin abrité sous trois arbres de petite taille. Non comme un mausolée dédié au saint, non comme une pièce de valeur destinée à éclairer le jardin mais comme une statue fusionnant avec lui, se confondant avec la masse des feuilles et des fleurs, avec le soleil et l'ombre, à peine visible.

Saint François d'Assise est le saint patron de la nature et des animaux. Toujours représenté accompagné des oiseaux et du gibier qui venaient vers lui. La légende raconte que, lorsqu'il était un jeune homme riche et fantasque, il connut une sorte de conversion après laquelle il vécut très simplement, proche de la nature, entouré d'oiseaux et d'animaux qui l'aimaient. Mon époux lui-même, plutôt féru de mathématiques et d'ordinateurs, vécut ce qu'il définit lui-même comme sa seule expérience de nature « spirituelle » (à l'exception de la naissance de notre fille). Alors qu'il était un jeune étudiant, il visitait le village d'Assise. Il entra dans le cloître et se sentit envahi par la sensation d'une présence, d'une énergie de nature indicible qui s'empara de lui et le traversa. Alors que les autres touristes s'éloignaient, il s'arrêta cloué sur place. Il ne pouvait plus bouger et ne voulait plus quitter cette paix profonde, cette instance spirituelle qui avait pris possession de ses sens et de tout son être. Il décrivit cette sensation comme étant proche de la « chair de poule », un peu comme une onde glacée qui courait le long de sa colonne vertébrale, ce qui lui donna l'impression d'entrer presque en « transe ». Quand il leur fit le récit de son expérience, ses compagnons se moquèrent de lui mais les villageois hochèrent simplement la tête en grommelant : « C'est bien de saint François », comme s'il s'agissait là de la chose la plus naturelle au monde.

Il *fallait* que j'achète cette statue pour le jardin. Et comme son prix était élevé, je soulageai ma conscience par le prétexte qu'elle était soldée. Sous les trois arbres entre les plantes vivaces, j'aménageai un petit espace, creusai un trou, y enterrai trois pièces – garantes de chance et de prospérité –, les recouvris de terre et plaçai la statue sur le tout. Depuis ce jour, le feuillage alentour s'est développé au point de la dissimuler presque totalement.

Il n'est pas rare qu'au jardin nous parlions avec Franck – car c'est ainsi que nous avons décidé de l'appeler – et que je l'implore de s'occuper des taupes qui mangent les jeunes plants. Je lui demande aussi des conseils concernant le phlox, l'endroit où planter la cataire. Et s'il ne me répond pas, ce qui va de soi, je ne pense pas pour autant que ces conversations l'ennuient. Peut-être écoute-t-il *vraiment* et m'envoie-t-il des réponses au moment où j'en ai besoin. D'aucuns disent que les jardins sont pleins d'anges et de fées qui prennent soin des plantes et les aident à grandir. Le jardin de Findhorn en Écosse est bien connu pour cela. Une communauté s'est installée qui cultive les légumes les plus beaux que l'on n'ait jamais vus grâce à quelques fées qui ont établi là-bas leur demeure si l'on en croit ceux qui y habitent.

Je ne sais si quelque fée ou quelque ange a choisi d'habiter mon jardin mais il y a Franck et sa présence est bien établie tant en pierre qu'en esprit. Il apporte bien plus à ce foisonnement verdoyant, à toutes les fleurs, les fruits et les légumes que ne pourrait le faire une simple représentation minérale de l'homme. Il nous rappelle constamment l'expérience vécue par mon époux en Italie et l'amour dont nous avons besoin, amour des autres comme de la nature, amour de notre interdépendance à celle-ci comme à autrui. Grâce à lui, j'ai l'impression d'être l'amie véritable des animaux et des plantes ; leur sœur, leur mère, leur protectrice et leur enfant tout ensemble. Il me rappelle les gens que j'ai vus un jour couverts d'abeilles rester pourtant debout, calmes et immobiles. Je me demande si je pourrais faire preuve de cette confiance absolue et de cet amour total envers les autres êtres vivants sur terre.

Je ne mange pas de viande et je suis très proche des animaux bien que je les craigne aussi d'une certaine façon. Non pas tant les chats et les chiens de mon entourage que certains autres, mais tout particulièrement les abeilles. Alors que j'étais encore une très jeune enfant, ma sœur aînée me persuada de plonger la main dans un buisson : je fus très rapidement piquée par une abeille. Je pense qu'elle avait trop peur de le faire elle-même mais qu'elle voulait vérifier si le petit voisin qui lui avait notifié la présence des abeilles à cet endroit disait la vérité. En fait, je ne veux pas croire qu'elle l'ait fait en pensant à mal. En tout cas, je ne suis pas de celles qui peuvent rester debout sans broncher sous une couverture d'abeilles et dans un sens cela m'attriste : c'est bien la preuve que nous ne sommes pas vraiment en contact avec les autres créatures qui partagent la planète. J'aimerais être saint François bien que je ne sois pas sûre d'apprécier le fait que des oiseaux s'installent sur mes épaules.

J'aime les animaux domestiques parce qu'ils font partie de ma famille. J'aime les canards qui nidifient devant chez moi lorsque le printemps revient avant de disparaître à nouveau. Et si j'aime les rouges-gorges qui s'ébattent sur ma pelouse, les papillons qui butinent les fleurs et les écureuils qui escaladent mes arbres, nous gardons nos distances. Ils ont leur espace et je préserve le mien. Je me demande ce qui a bien pu arriver à saint François pour faire de ce joyeux noceur l'amant des oiseaux et des petits lapins.

J'ai considérablement changé d'attitude pour la décoration de jardin, car je me rends compte que chacun a ses raisons pour poser là un moulin, là un nain. Qui sait ce que leur enseignent ces objets et le chemin qu'ils leur montrent ? Et celui qui apercevra Franck caché sous mes arbres ne pourra jamais deviner tout ce qu'il représente à mes yeux. Je garde donc pour moi mes jugements et mes grimaces et j'accepte désormais la statuaire de jardin quelle qu'elle soit et où qu'elle soit. Car tout est à sa juste place. Et si les choses n'ont pas toujours été en l'état, lorsqu'elles sont ainsi établies, c'est que c'est là qu'elles doivent être. Le

zen nous apprend que chaque moment est parfait en soi –
même lorsqu'il s'agit des flamants roses et des nains en
plastique sur la pelouse du voisin.

Un seul défaut me chagrine dans cette statue : saint
François fait la moue. J'ai beau regardé et scruté son visage
dans l'espoir de le trouver sans expression, pensif ou
priant, mais je ne peux aller contre le fait que les coins de sa
bouche sont décidément tournés vers le bas. Son visage est
hiératique et majestueux ; mais, décidément, il n'a pas l'air
commode ! C'est décidé : avant la fin de la saison, je l'aurai
déridé. Dussé-je retourner au magasin et ramener un de
ces petits anges en pierre. À moins que ce ne soit un Bouddha hilare !

LA NUIT
DE LA SAINT-JEAN

Voilà la vraie folie de l'été à son midi.

SHAKESPEARE.

Même coupés, même élagués, les arbres repoussent rapidement.

PÉRICLÈS.

Nous respirons avec la forêt amazonienne, nous buvons l'eau de l'océan car ils font partie intégrante de notre propre corps.

JACK KORNFIELD.

Pratiquer l'attention, c'est simplement découvrir chaque jour la crainte que nous éprouvons de l'interdépendance de toutes choses.

JON KABAT-ZINN.

La nuit de la Saint-Jean, la troisième semaine de juin, arrive toujours trop vite. Il est vrai qu'elle ne marque en aucun cas le milieu des vacances d'été de mon enfance et que d'un point de vue purement technique elle date le *début* de l'été. Pourtant, les faits sont bien là. La Saint-Jean marque le milieu de l'année légale, le solstice d'été, le plus long jour de l'année. C'est à partir de cette date que les jours raccourcissent progressivement jusqu'au solstice d'hiver.

Depuis que j'ai vu la pièce de Shakespeare, *Le Songe d'une nuit d'été*, je ressens toute la magie de cette nuit de la Saint-Jean. C'est la nuit des fées qui s'amusent de nous, nous dupent et rendent fous les simples mortels que nous sommes. Je me suis depuis intéressée au folklore de cette fête. Et, cette année, j'ai tenté de persuader ma fille de sacrifier à l'un de ses nombreux rites ; je l'ai invitée à poser une coupelle de farine sous le romarin au coucher du soleil le soir du 20 juin afin que le lendemain elle lise dans la farine les initiales de son futur époux. À ma grande déception, elle ne marqua aucun intérêt pour cette idée. Mais à ma non moins grande surprise, elle ne fit montre d'aucun dédain et ne leva pas les yeux au ciel selon son habitude quand elle considère que mes idées sont totalement ridicules, trop New Age ou trop conventionnelles en fonction des circonstances. Bien au contraire, elle me répondit le plus simplement du monde qu'elle ne voulait absolument pas savoir car, si tel était le cas, elle craindrait de garder le souvenir de cette prophétie quelque part dans son inconscient et que la tentation serait trop grande par la suite de tenir compte de cette prédiction. Cela scellerait les choses d'une façon ou d'une autre. J'ai admiré la compréhension innée qu'elle a de l'être humain et cette attitude zen véritable qui est de laisser la vie se dérouler simplement.

Il n'y eut donc aucune coupe de farine sous le romarin à l'heure où la lune de la Saint-Jean porta son regard protecteur sur notre maison. C'était une nuit très chaude et très tranquille. C'est du moins ce que j'en pensais car je n'entendais rien d'autre que le vacarme émis par l'air conditionné. Son vrombissement se mêlait à mes rêves, telle une berceuse lancinante. Je laissai le jardin aux fées et m'endormis à poings fermés.

Lorsque j'ouvris la porte de derrière le lendemain matin, je fus accueillie par un spectacle totalement inattendu et pour le moins bizarre. Une immense branche de l'érable argenté géant s'était détachée et gisait sur la barrière à l'arrière de la propriété. On aurait dit une main géante dont les doigts s'inséraient entre les lattes de bois de la palissade (laquelle était miraculeusement restée debout malgré le poids énorme qui pesait sur elle) et dont le poignet cassé tentait d'atteindre quelque chose d'invisible dans l'air à quelques mètres de l'endroit d'où s'était détaché ce bras géant.

Sans que rien ne le laissât prévoir, l'arbre avait commencé de s'amputer quelque temps auparavant. Un soir de mai, une autre de ses branches était tombée sans crier gare sur la voie d'accès au garage de notre voisin. Fort heureusement personne n'avait été blessé et aucune voiture ne se trouvait dans le passage. Je découvris que cet événement était survenu très peu de temps après la mort de quelqu'un que je connaissais. Il s'agissait d'une femme que j'avais interviewée pour un livre que j'écrivais alors et qui m'avait donné bien plus que je n'attendais – elle m'avait confié une histoire merveilleuse qui pouvait constituer un livre à part entière que je m'étais promis d'écrire un jour. Elle mourut soudainement d'une crise cardiaque la nuit précédant la chute de la branche de mon érable. Je sentis un frisson me parcourir quand j'appris son décès et la date de celui-ci. M'avait-elle rendu visite ? Me suggérait-elle ainsi d'écrire le livre ? Je savais à quel point elle désirait raconter cette histoire ; elle avait même cherché quelqu'un pour le faire à sa place. Comme je suis toujours en quête des présages et des signes révélateurs des intentions mystérieuses de la vie, je me suis posé la question du lien pouvant exister entre le décès soudain de cette femme et la chute de la branche d'arbre.

Lors de la première chute, nous avions décidé de faire examiner l'érable par un spécialiste mais nous n'en avions pas encore eu le temps. Il était si majestueux et si beau, si foisonnant de feuilles d'un vert tendre nouvellement sorties que nous ne pouvions croire qu'il pose problème. Nous maudissions les années où il avait fallu l'élaguer et le retailler pour mettre en place les lignes de téléphone et d'électricité car il s'était développé dans deux directions opposées au lieu de grandir bien droit, ce qui avait eu pour effet d'alourdir le poids que ses branches faisaient supporter au tronc. C'était là, en tout état de cause, ce que nous pensions.

Mais la façon dont les choses s'étaient passées la nuit de la Saint-Jean m'avait fait réfléchir. Et s'il s'agissait d'un signe, d'un appel de la femme décédée avant que j'aie fini d'écrire son histoire, il fallait voir là une sorte d'urgence quant au message qu'elle tentait de me délivrer. *Fais attention !* Voilà ce que l'arbre criait de toutes ses forces. Mais fais attention à quoi ? Là était la question. Lorsque nous avions emménagé dans cette maison cinq ans auparavant, c'était la première fois que je m'occupais moi-même du jardin. J'avais bien rétréci quelques racines qui avaient pris leurs aises mais pas suffisamment pour abîmer l'arbre. Les fées du jardin tentaient-elles de me dire quelque chose ? Ou élaguaient-elles le vieil arbre pour donner plus de lumière à mes plantations ?

Si l'on croit, comme c'est mon cas, qu'il y a une raison et un sens secret à toute chose, on ne peut s'empêcher de penser à tout ce qui peut en exprimer le sens, le message, le but caché. À tout le moins, c'est l'ego de l'homme qui ne peut s'empêcher de penser. Mais le zen nous invite à laisser tout cela de côté. Car être zen, c'est attendre que les événements se déroulent et se révèlent par eux-mêmes. C'est se comporter en fait comme ma fille, décidément dotée d'une grande sagesse, qui ne veut pas qu'on lui révèle à l'avance les initiales de son futur époux.

Le pépiniériste tendit le cou en direction des branchages abattus. « Que ressentez-vous vraiment en ce qui le concerne ? » demanda-t-il. À notre regard pour le moins interrogateur, il ajouta : « Je veux dire : dans quelle mesure souhaitez-vous vraiment conserver cet arbre ? Parce que, en fin de compte, il faudra se résoudre à l'abattre ! » Il vit alors nos visages se défaire en un clin d'œil et se ravisa. « J'ai dit *en fin de compte*. On a encore le temps surtout avec un phénomène tel que celui-ci. » Nous donnâmes notre accord pour procéder à l'élagage de la majeure partie des branches basses qui du reste faisaient trop d'ombre à notre verger afin de ne préserver que l'énorme tronc et les branches les plus hautes. En nous promenant dans le voisinage, nous remarquâmes alors que bien des vieux arbres avaient été élagués de cette façon, ce qui leur donnait l'allure de brocolis dont on aurait enlever les branches inférieures. Mais c'est là la manifestation d'un cycle naturel de vie.

Je rêvai de cette femme dont je n'avais pas eu le temps d'écrire l'histoire. Je lui parlai en songe. Jusqu'au petit matin où je m'entendis dire à mon mari : « Mais elle est morte. Comment peut-elle être là, et me parler ? » Ce fut là un rêve bien étrange où se mêlaient confusion et clarté, imagination et réalité, ce qui est du reste l'apanage des rêves. C'est un bruit sourd et fort qui me réveilla. Je descendis pour scruter le voisinage et découvris qu'un autre érable – celui qui se trouve juste en face de la maison, dans le parc communal – avait lui aussi jeté une de ses énormes branches en travers de la rue. Le bruit de cette chute – d'abord un craquement sinistre bientôt suivi d'un grand boum lorsque la branche toucha le sol – continuait de résonner en moi. J'avais la sensation étrange et pénétrante que ma maison et toutes celles qui l'entouraient étaient situées au beau milieu d'une forêt naturelle. Quoi que nous fassions, la forêt continue de vivre à son propre rythme.

Je réfléchis alors beaucoup au concept de l'énergie, de son origine, de sa transmission et de son mode d'action. Il semblait qu'une forme d'énergie traversait le reste de la forêt naturelle qui m'environnait. Non pas sous la forme d'un éclair, d'un orage ou d'un vent violent, mais sous une forme bien plus subtile dont les effets n'étaient pas moins puissants. Était-ce simplement dû à l'âge des arbres ? Était-il temps pour eux de perdre ces branches en fonction de quelque calendrier secret ? Ou bien était-ce une énergie spécifique qui enveloppait ma maison pour quelque raison inconnue ?

Six mois plus tôt, l'acteur principal de l'histoire en question était décédé. Quelques semaines après la mort de la vieille dame, j'appris le décès du troisième personnage important de cette histoire. Je me demandais ce qui arrivait à l'énergie d'un corps vivant lorsque celui-ci mourait. S'envolait-elle ailleurs ? Venait-elle casser les branches de vieux arbres costauds ? Se dissipait-elle simplement dans le néant ? Une énergie habitait-elle toutes mes plantes et mes arbres, reliant ainsi tous les éléments de la nature entre eux ?

La branche cassée dans le parc disparut avec le lever de soleil. Des jardiniers scièrent proprement le moignon et hissèrent l'énorme branche sur une machine avant de l'emporter en moins d'une heure. Il nous fallut des semaines pour débiter celle qui était tombée dans notre jardin. Nous n'aurons pas besoin d'acheter du bois à brûler cet hiver.

Les fées qui s'ébattent dans la forêt où nous avons construit nos maisons et nos villes ne l'ont pas quittée. Elles personnifient l'énergie qui nous relie les uns aux autres. Cette même énergie qui dit aux arbres de s'élaguer d'eux-mêmes et qui me dicte l'histoire que je suis en train d'écrire. Le pouvoir qui casse les membres des arbres est le même que celui qui met fin à nos vies. Tous autant que nous sommes, plantes, animaux, personnes, terre, vent et ciel, faisons partie de cette immense énergie, de cette unité. Et c'est après les feux de la Saint-Jean que les fées refont surface, nous visitent en songe et nous réveillent par un grand bruit au cœur de la nuit. Nous rappelant ainsi une fois de temps en temps la terre et l'air qui nous entourent, l'énergie qui sourd partout et en nous. Car une fois par an les fées nous font un clin d'œil ; elles nous donnent une tape amicale sur l'épaule en nous invitant à nous souvenir de ce que nous sommes : une infime partie de l'énergie infinie qu'est la vie.

Ressentir l'interdépendance de toutes choses est l'essence même du zen. Car c'est prendre conscience que nous ne sommes pas distincts de l'univers vivant. Telle est l'attention telle que le zen l'entend. Faire l'expérience de notre unité avec les étoiles, les arbres, les oiseaux et la terre est le véritable sens de cette pratique. Rien dans l'univers ne nous est étranger et il n'y a rien que nous n'influions d'une manière ou d'une autre. Tout comme les écureuils qui font leurs nids dans les arbres, tout comme les arbres eux-mêmes, chacun de nous est à sa façon la manifestation de la même énergie, de la même force de vie, du même Esprit Unique.

MARCHER

Quand vous marchez ; ne faites que marcher.

YUNG MAN.

À la saison printanière où l'air est calme et plaisant, ce serait faire injure à la nature que de la bouder, de ne pas sortir pour contempler ses richesses et se réjouir avec elle, avec le ciel et la terre.

JOHN MILTON.

On ne prend jamais assez, on n'apprend jamais assez de la nature.

HENRY DAVID THOREAU.

Je marche dans mon jardin chaque jour, plusieurs fois si possible. J'aime marcher nu-pieds ; car je suis directement en contact avec l'herbe sous mes pieds et me sens libre de traverser une plate-bande ou un carré de légumes sans redouter de salir mes chaussures ou de les mouiller irrémédiablement. J'aime à marcher, l'œil et l'oreille aux aguets. En me baladant, je prie, je demande, je touche, je sens. En un mot je communique avec mon jardin. Et j'en ressens toujours un grand bien quel que soit mon état de fatigue, de colère ou de stress.

En fait, j'ai l'impression de ne faire que cela au jardin : marcher. Car jamais je ne sors avec l'idée de désherber ou de me livrer à ces quelques corvées inévitables, avec un plan ou une liste de choses à faire. Je marche, simplement, et je vois ce qu'il y a à voir. Aujourd'hui, ce sera une feuille morte, une mauvaise herbe, ou un fruit trop mûr qui me demande de le cueillir ; demain un rameau de tomates qui aura besoin d'être attaché à son tuteur ; ou bien les impatientes alanguies qu'il faudra arroser. Je laisse le jardin me dire ce que je dois faire et je m'exécute. Le désherbage, la cueillette, l'arrosage, tous ces travaux constitutifs de l'art du jardinage sont des choses auxquelles je ne pense pas, car elles ne sont ni corvées ni problèmes. Et s'il arrive qu'elles m'interpellent lors de ma promenade, eh bien je m'exécute ici et là le plus naturellement du monde.

Et lorsque je me promène dans mon jardin, je ne fais que cela. Se promener, c'est aussi regarder, écouter, toucher et sentir. Je profite de ma tasse de café brûlante du matin. Je ne pense pas, ne raisonne pas, ne juge pas. Tout est bien comme ça. J'ouvre la porte et sors sur l'herbe. Elle est fraîche et encore mouillée de rosée. Mon orteil heurte un morceau de racine émergeant du sol ; les arbres géants étirent leurs tentacules souterraines bien loin de leur point d'attache. L'air est frais et une brise vient caresser ma peau. Le souffle du vent joue des harmoniques mélodieuses. Sous mes yeux se déroule le spectacle tranquille et majestueux des impatientes, de leur feuillage vert tendre et du brun foncé de la terre qui les nourrit. Les hostas resplendissent : coiffées de violet et de bleu lumineux, ces liliacées se déploient en longues tiges d'où jaillissent de délicates floraisons. Les cœurs de Marie sourient tels mille visages aux courbes gracieuses, aux reflets pourpres et dorés. Je prends conscience de la variété infinie des verts, vert presque noir des ombres, vert brun, verts tendres et printaniers, verts argentés. Des floraisons éclatantes en dégradés de jaunes surgissent de la masse floconneuse des feuilles et des fines tiges des plants de courgettes. Le vert plus pâle de la laitue surgit de terre modestement. Quant aux plants de tomates, ils sont désormais presque aussi grands que moi. Les minuscules fleurs jaunes se sont métamorphosées en petits fruits verts ; il y en a partout, de tailles et de formes variées, comme autant de promesses de cerises ou de prunes, certaines formant de grosses sphères régulièrement nervurées. Le parfum du basilic et des soucis me suit dans ma balade. Un avion passe au-dessus de ma tête, une voiture pétarade dans le lointain, je passe mes mains dans le buisson de romarin, caresse la plante avant de respirer sur ma paume son arôme doucereux. Des effluves mêlés de menthe, d'origan, de sauge et de ciboulette s'insinuent dans ma conscience et la traversent, y laissant un pot-pourri de senteurs. De larges fleurs orange s'épanouissent sur les soucis. Un écureuil décampe et saute par-dessus la barrière emprisonnant dans sa bouche une pomme sauvage. Quant à moi je sirote mon café : il a tiédi mais son arôme est toujours aussi riche. L'herbe sous mes pieds est encore fraîche et mouillée. Je me baisse pour me rapprocher le plus possible du sol et mieux capturer les senteurs légères d'oignons et d'ail qui émanent de la terre.

Au hasard de mes pas j'étête quelques soucis défraîchis, arrache par-ci par-là une herbe folle, fixe ceci, change cela. Je ne me lasse jamais du jardinage car je n'en fais pas une corvée. Je marche simplement et, sur le chemin, je donne un coup de pouce ici, j'infléchis cela. Je concentre toute mon attention sur le jardin, ouverte, vigilante, réceptive et surtout – surtout – humble. Et ce qui doit être *est*. Je ne suis qu'une intermédiaire. Je prends conscience du temps perdu à se préoccuper du passé et du futur quand il s'agirait d'être là simplement où nous sommes, au moment présent. Lorsque je me balade dans mon jardin, je ne suis nulle part ailleurs ; je suis ici et maintenant, au moment et à l'endroit justes, partie intégrante de tout mon environnement, parcelle du Tout.

Notre culture nous invite à faire sans cesse référence à l'heure. Nous mangeons, dormons, travaillons, jouons, prenons notre bain et faisons même l'amour quand c'est l'heure de le faire. Ce sont nos agendas qui nous gouvernent et nous faisons bien plus attention à notre planning qu'aux activités qu'il contient. Nous sautons le déjeuner ou la pause-café car la tâche en cours nous absorbe trop et nous n'aurons plus le temps de trouver le temps par la suite. Esclaves de nos montres, nous sommes des gens pressés, préoccupés de l'instant qui suivra.

Le zen tente de faire disparaître l'ego. Certes les apparences sont trompeuses. S'affairer est une façon de se perdre mais c'est réellement le moyen de se donner de l'importance. Or, c'est respecter notre nature essentielle que de travailler quand il y a du travail et de se reposer lorsqu'on est fatigué. Que d'être pleinement et totalement conscient de chaque instant, ici et maintenant. Bien plus, il s'agit d'intégrer à tout ce que nous faisons la conscience d'être reliés au reste de l'univers. Voilà ce que sont l'attention et la concentration. Certains d'entre nous ont la chance d'expérimenter cette démarche – se perdre pour se trouver – dans le travail qu'ils font, la danse, le sport, la peinture ou la musique. Le jardin est une des voies les plus faciles pour comprendre ce que signifie vraiment se perdre dans une tâche.

Marcher dans mon jardin est pour moi une pratique zen car je n'ai pas plus d'agenda que de projets : mon seul but est la marche. Et bien souvent, je ne fais que cela : marcher, regarder, écouter et sentir. Il m'arrive parfois de communier avec les plantes : je nage dans le courant d'énergie qui les anime et participe un peu à leur vie et à leur développement. Je ne force rien, ne décide rien, ne fais rien. Je marche simplement dans mon jardin et ce qui doit arriver, arrive. Cette pratique, qui nécessite ouverture et attention, donne aussi bien de la joie. Elle est pacificatrice.

Il arrive souvent que nous tentions de pratiquer le zen de la même façon que nous faisons le reste, c'est-à-dire à toute vitesse, mieux que l'autre, et suivant un planning et des règles préétablis. En fait, au lieu de perdre notre ego, nous perdons cette attention véritablement essentielle du zen. Plutôt que de laisser l'instant nous dire sa nature, nous tentons de le forcer en fonction de l'idée que nous nous faisons de ce que doit être un moment zen. Car nous pensons que marcher est une activité particulière qui ne doit pas interagir avec le désherbage, la récolte des légumes ou l'arrosage. Mais ces activités s'imposent d'elles-mêmes, naturellement, il faut laisser faire et se donner pleinement au moment présent quoi qu'il porte. Car la seule façon juste de marcher est de se consacrer à la marche l'esprit ouvert, pacifié et attentif. Dans la promenade est le chemin.

Et ce matin-là je consacrais quelques minutes à l'acte le plus simple du monde : poser un pied devant l'autre, toute à ce mouvement élémentaire de notre vie. J'ai arraché quelques herbes folles, coupé quelques soucis et quelques pétunias défraîchis et pris un grand bol de parfum d'herbes. J'ai écouté les sons mêlés des cigales, des oiseaux et du trafic sur la route. J'ai senti la rosée perler sur mes pieds, l'air du matin caresser ma peau et la respiration animer mon corps. J'ai commencé ma journée pleinement reliée à la nature dont je fais partie intégrante – tout simplement en marchant dans mon jardin.

LA RONDE DES CYCLES
DE LA VIE

Je ne désire pas plus une rose à Noël que la neige
en mai. À chaque saison ses fruits. À chaque fruit
sa saison.

SHAKESPEARE.

Il y a un temps pour tout, un temps pour toutes
choses sous les cieux ; un temps pour naître et un
temps pour mourir ; un temps pour planter et un
temps pour arracher ce qui a été planté.

ECCLÉSIASTE, III,1-2.

Parce que les haricots verts et les laitues mûrissent relativement vite, je peux les récolter deux fois dans leur brève
saison. Ils viennent à maturité rapidement. Les minuscules bourgeons apparaissent bien vite après la plantation
de la graine à peine recouverte de terre. Quant aux laitues,
le plant initial n'a qu'à s'épaissir car c'est la fonction de ce
légume. Quant aux haricots rampants, leurs tiges ne
dépassent pas une trentaine de centimètres et leurs feuilles

se couvrent bientôt de minuscules fleurs blanches qui préfigurent le légume. En un clin d'œil, ils sont chargés de haricots verts craquant sous les doigts, prêts à être déguster. C'est du reste tout frais cueillis du jardin qu'il faut consommer ces deux légumes.

Leur abondance nous emplit de joie tout en nous nourrissant pendant tout l'été. Lorsqu'elle était enfant, ma fille aimait à mâchonner un haricot frais cueilli de son pied tout en poursuivant ses jeux.

Tendre et légèrement sucrée, la laitue permet de composer de magnifiques salades variées ou des sandwiches aux saveurs croustillantes avec un zeste d'onctuosité et de douceur.

Quand elles parviennent à maturité, ces plantes ont l'air pourtant déjà un peu altérées. Les plus vieilles feuilles jaunissent et flétrissent. La fermeté sympathique de la salade fraîche laisse place à un air avachi et maladif. Elles ont donné leur vie et leur vitalité pour nous nourrir. Leurs restes se déracinent facilement pour faire place à de nouveaux plants, un nouvel épanouissement et de la nourriture fraîche. Elles ont rempli leur fonction d'abondance.

Les plantes suivent des cycles différents sur une saison. Certaines fleurissent tôt et se flétrissent sous le soleil ardent d'été. D'autres se développent lentement mais sûrement sur plusieurs mois. D'aucunes paraissent désœuvrées pendant des jours et des jours pour se décider enfin à s'ouvrir et à grandir un beau matin. Nombreuses sont les plantes qui nous offrent bien plus que nous savons profiter : des remèdes aux cosmétiques, en passant par les fleurs parfois comestibles, jusqu'aux graines que l'on peut conserver pour l'année suivante et que l'on jette trop souvent dans le compost ! On gâche même les bienfaits tant psychologiques qu'émotionnels des plantes aromatiques. Mais le flux et le reflux des richesses de la nature perdure, quel qu'en soit l'usage que l'on en fait.

Car le flux et le reflux est une constante de notre Terre, de tout ce qui vient de la nature, de toute vie. Les cycles – naissance, croissance, mort – ne cessent de se succéder. Il est vrai qu'il faut monter pour descendre. Dans la spirale de l'évolution, chaque moment vient à son tour, car la vie est changement constant, mouvement infini. La vie est mobilité. À la pauvreté succède l'abondance, qui laissera place à son tour à la pauvreté et ainsi de suite. Le feuillage vert et luxuriant jaunira demain ; la branche chargée de fruits les perdra pour en redonner d'autres. La jeunesse connaîtra la vieillesse. Ce qui est vivant mourra.

———— ◆ ————

C'est tôt ce matin que l'une de mes chattes est morte. Ce fut très soudain et très inattendu malgré son grand âge. Il y a douze ans, nous l'avions adoptée alors qu'elle n'était qu'une minuscule chose, perdue dans la nombreuse portée de la chatte d'un collègue. Avec une autre de ses compagnes, elles avaient été les dernières à trouver un foyer d'accueil. Nous n'en voulions qu'une dans la mesure où nous craignions que notre husky, par ailleurs très doux et très tendre, n'ait pas une conscience bien sûre de sa petite taille et de sa faiblesse. Mais quand nous les vîmes, nous fûmes attendris par les deux petites sœurs qui miaulaient désespérément et se cachaient ensemble sous les meubles, tremblantes de crainte. Nous avons décidé de les ramener toutes les deux à la maison après avoir eu beaucoup de mal à les capturer. Elles ne cessèrent de miauler durant tout le trajet et de gratter le siège arrière de la voiture de leurs petites griffes.

Je pense que leur terreur les avait handicapées, les isolant du reste de la portée et les rendant difficiles à placer dans une famille aimante. Mais nous les sentions si mal que nous avons pensé qu'elles auraient moins peur si elles restaient ensemble.

Arrivés à la maison, nous leur avons aménagé un petit espace afin qu'elles prennent le temps de s'habituer à nous et à leur nouvelle demeure. La chienne était très curieuse de ces deux petits chatons. Elle ne cessait de renifler et de faire le guet devant la porte, les oreilles en alerte au moindre miaulement inhabituel. Nous fîmes en sorte qu'ils apprennent à se connaître progressivement. Et ils formèrent bientôt leur propre famille d'animaux. Il n'était pas rare que la grosse chienne assoie un chaton entre ses pattes de devant, léchant la petite boule de fourrure jusqu'à ce que celle-ci se dressât les poils hérissés et tout mouillés. Quant à l'autre, elle aimait par-dessus tout grimper à la porte grillagée qui donne sur l'arrière du jardin jusqu'à ce que ses griffes soient trop grosses pour qu'elle puisse agripper les maillons.

La famille animale grandit en même temps que la famille humaine. D'année en année, la personnalité de chacun des animaux s'accentuait. Le husky délaissa notre fille encore jeune dont il était le compagnon de jeux pour devenir la maman des petites chattes. Anastasia, à la fourrure toute noire, finit par s'apprivoiser et sortir de ses cachettes à raison d'une bonne dose quotidienne de caresses et de conversation avec ses familles, tant animale qu'humaine. Natacha la tigrée s'est attachée à notre fille ; elle dort sur son lit la nuit – et la plus grande partie de la journée – et se roule sur le tapis de la porte de derrière, le ventre en l'air chaque après-midi à l'heure où notre fille revient de l'école.

Après quelques années de cette vie de famille harmonieuse, la chienne tomba malade. Pendant plusieurs mois nous l'avons fait suivre par le vétérinaire et l'avons soignée à la maison. Elle rampait jusque sous la terrasse où l'ombre est fraîche mais se trouvait dans l'incapacité de revenir toute seule. Petit à petit, elle devint incontinente. Et un beau jour, le vétérinaire nous a convaincus qu'elle était condamnée et que la plus charitable des attitudes était sans doute de mettre fin à ses souffrances. Après des adieux très tendres à celle qui avait partagé notre vie pendant onze ans, nous avons pleuré à chaudes larmes sur son corps inanimé.

Et si nos chats, qui étaient alors au nombre de trois, ne pouvaient nous faire partager leurs pensées ni leurs sentiments, nous vîmes bien qu'ils erraient comme des âmes en peine dans la maison, miaulant bien plus qu'à l'accoutumée à la recherche de la chienne. Ils avaient été sans aucun doute les témoins de son lent déclin – car la présence des chats est très réconfortante aux malades – contribuant ainsi à améliorer la fin de sa vie. Un an plus tard, nous ramenâmes à la maison un petit samoyède et ce fut le tour des chattes de jouer les mères attentives et de veiller sur lui. Peut-être est-ce la raison pour laquelle il s'est montré si impertinent tout au long des six ans qu'il vécut !

Tacha ne montra aucun signe de maladie avant ce matin où elle mourut. C'était une vieille chatte. Et si ses gestes étaient beaucoup plus lents, nous n'avions rien remarqué de particulier : un des chats avait bien eu quelques problèmes intestinaux par deux fois ces derniers jours mais nous n'avions pas réussi à connaître son identité. Comme nous n'avions rien noté d'anormal dans leur apparence ni dans leur comportement, nous n'avions rien pu faire. Hier encore Tacha était paresseusement auprès de mon époux qui était non moins mollement avachi sur le canapé où il faisait la sieste : son ronronnement de contentement résonnait dans toute la pièce.

Vers minuit, notre fille, de retour à la maison pour les vacances d'été, descendit à la cuisine pour se faire un petit en-cas. C'est là qu'elle trouva Tacha en train de ramper sous un radiateur. La chatte n'arrêtait pas de miauler. Nous avons essayé de la tirer de là et découvrîmes qu'elle y avait fait ses besoins. Elle gisait de tout son long sur le tapis sans cesser de miauler et sans pouvoir bouger. C'est alors que nous avons décidé d'appeler le vétérinaire qui nous invita à l'amener immédiatement.

L'endroit était propre et plaisant. Le personnel chaleureux et attentif envers les animaux savait aussi communiquer avec leurs compagnons à deux pattes.

L'état de notre chatte s'aggrava rapidement ; en une heure de temps, elle fit plusieurs apoplexies avant de rendre le dernier soupir. Je me souviendrai longtemps de cette image et de ce moment. Elle était couchée sous une lampe chauffante sur une table de clinique et recouverte d'une serviette colorée. Nous lui avons dit adieu par une caresse tendre sur sa pauvre fourrure. Nous avons compris qu'elle était inconsciente depuis déjà des heures. Elle nous avait simplement appelés afin que nous puissions lui dire au revoir. À cette pensée, nous pleurâmes de nouveau à chaudes larmes. Mais elle avait vécu une longue et heureuse vie emplie de l'amour qu'elle avait reçu de ses deux familles, animale et humaine. Nous savions par ailleurs qu'elle n'avait quasiment pas souffert. Tout ceci nous réconforta. Son cycle de vie était achevé.

Si le rôle de la laitue et des haricots est de nous nourrir, quel était donc celui de cette chatte à qui nous ne demandions même pas de garder la maison ou de traquer les souris ? La fonction de Tacha était simplement l'amour. Elle emplit la vie des trois humains que nous sommes et des quatre autres animaux de la maison de douceur, de tendresse, d'affection et de gaieté. Elle participa à l'éducation de ma fille, éducation qui comporte entre autres l'amour et le respect des animaux.

La vie de Tacha fut aussi un enseignement, nous rappelant le flux et le reflux de l'énergie vitale. La jeunesse précède la vieillesse ; l'abondance est éphémère ; la vie a pour corollaire la mort. Et ce qui peut nous sembler parfois cruel n'est que la manifestation naturelle d'une nécessité vitale. Gagner et perdre ; marcher et s'arrêter ; donner et recevoir ; posséder et laisser partir. La vie n'est pas cruelle ; elle est ce qu'elle est. Simplement. Justement. Et tout ce que l'on peut faire en ce bas monde est de faire du mieux que nous pouvons quand il en est temps et de laisser faire quand il en est temps. L'abondance reviendra. La force, la vitalité et l'amour de l'abondance nous entourent et perdurent. De même que le déclin, la stérilité et la mort. Chaque vie a ses propres saisons.

Et ce continuel flux et reflux permet l'équilibre de la nature. Car l'équilibre crée l'harmonie, et l'harmonie est la nature essentielle de la vie. Tout ce qui vit connaît un perpétuel changement. Naissance, croissance et mort sont le chemin de vie du monde. Chacun de ces cycles prend appui sur le précédent et prépare le suivant. Tous nous enseignent la joie et la tristesse, l'optimisme et l'acceptation, le début et la fin.

Le mois d'août voit des fleurs en plein épanouissement ; d'autres sont déjà en train de perdre leurs couleurs, leurs forces et leur vitalité tandis que certaines sont défraîchies depuis bien longtemps. Les plantes et les arbres portent des fruits, leur abandonnant un peu de leur vie et de leur force. Une fois les légumes récoltés, leur sarment vient compléter le tas de compost. Quant à la chaleur et au soleil ardent du mois d'août, ils permettent à certaines plantes de parvenir à leur plénitude tout en en brûlant d'autres. Chaque instant, chaque jour perdure le flux et le reflux de l'énergie vitale autour de nous et en nous. La marée monte là quand elle descend ailleurs. La vie sur cette terre est comme un filet aux mailles très fines tressées de cordage solide et d'espaces vides, comme une tapisserie où chaînes et trames sont tissées ensemble. Les deux éléments sont essentiels pour constituer un tissu. L'un sans l'autre ne pourrait exister car il n'aurait pas de cohérence. Chacun d'eux donne vie à l'autre comme le jour donne vie à la nuit et réciproquement. Ensemble, ils permettent la vie de l'univers infini.

Et c'est précisément ce cycle constant de renaissances qui rend plus riche notre expérience et notre compréhension des choses, notre aptitude à aimer, jouir de la vie, accepter, agripper et abandonner. L'abondance a bien plus de sens quand on a véritablement connu la pauvreté. La vie a bien plus de sens quand la mort nous a touchés de près. C'est alors que l'on peut vivre ensemble le flux et le reflux plus pleinement, plus attentivement, reconnaissant que l'un ne peut exister sans l'autre.

MON JARDIN, C'EST MOI

Le beau paysage
comme on le sait
appartient à ceux qui lui ressemblent.

MUSO SESEKI.

Les sages prennent plaisir aux rivières et aux lacs,
les vertueux aux montagnes ; les sages sont
constamment actifs, les vertueux immobiles.

CONFUCIUS.

NOTRE jardin est notre reflet. Il est la manifestation des
différentes facettes de notre personnalité, de nos goûts, de
nos préférences, de notre passé, de nos expériences, de nos
contraintes aussi, contraintes de temps, contraintes d'argent. Il raconte notre histoire et révèle notre image ; celle
que nous avons de nous-mêmes, et celle que nous souhaitons projeter sur le monde. La terre et les plantes que nous
cultivons témoignent de nos forces et de nos faiblesses.
Car notre jardin est indiscret ; il raconte aux autres ce que
nous sommes sans oublier de nous le faire savoir.

J'aime à me balader, à pied ou en voiture et à flâner devant le jardin des autres. Ma première réaction est de les juger : *Oh ! celui-là est bien joli, celui-ci est petit-bourgeois et tout rétréci ; ce troisième est florissant et un peu sauvage, celui-là au contraire est abandonné à son triste sort…* Mais très vite, j'arrête de les juger pour mieux les regarder. Ils pénètrent doucement dans ma conscience sous forme d'image : j'intègre leurs couleurs, leurs formes, leurs textures, leurs parfums. Mon esprit s'emplit de toutes ces sensations qui se mêlent et ne font bientôt plus qu'une : celle de la vie, de la nature et de la beauté. Les images des jardins d'autrui nourrissent mon esprit, mon cœur et mon âme affamés comme autant de plats copieux, de médecines et de gestes d'amour. Un jardin dévoile beaucoup de facettes de son propriétaire. Mais voilà que je cède de nouveau à la tentation d'émettre des jugements. Voilà que je m'arroge le droit de décider en fonction de ce que je crois voir dans les plates-bandes et les carrés de légumes de mes voisins. Si l'on dépasse ce stade, alors on change son regard. Que voyons-nous si ce n'est l'effet de la main de l'homme sur son environnement naturel, son action interdépendante sur la terre ? Que voyons-nous si ce n'est un alliage de plantes, de terre, d'air, de soleil, d'eau, et d'hommes ?

On sent tout de suite qu'un jardin est aimé – du moment qu'on est disposé à le sentir. Il ne s'agit pas de l'arrangement plus ou moins heureux des plantes les unes par rapport aux autres. C'est un fait, simplement. L'amour jaillit du jardin et s'unit à nous d'une façon naturelle, fondamentale. Il n'y a pas là de place pour des jugements intellectuels. On ne considère pas ici le prix des fleurs ni la perfection des fruits et des légumes. Car un jardin qui est aimé reflète le cœur et l'âme de celui qui y habite. Un jardin qui est aimé parle sans intermédiaire au cœur et à l'âme en chacun de nous.

Mais les jardins révèlent aussi nos peurs et nos doutes. Il arrive que la peine ou la dépression nous détournent de leur entretien bien que je sois persuadée que le jardinage soit une activité très tonique pour peu que l'on se force à s'y mettre. Des pans entiers de pelouse jaunie et de mauvaises herbes d'un brun lugubre trahissent la négligence, le désespoir ou la paresse. Et l'on peut observer la transformation du jardin lorsque change son propriétaire : en une saison une forêt vierge s'éclaire pour laisser place comme par enchantement à un havre de paix empli d'arbres vigoureux, de verdure luxuriante, de fleurs éclatantes, de melons appétissants ; un autre propriétaire récemment installé laissera un triangle de terre à la nature sauvage afin de créer un refuge pour les oiseaux, les insectes, les petits animaux.

La diversité des jardins ne cesse de m'émerveiller. Une petite maison de ville est protégée de la rue passante par un énorme buisson de fleurs hautes et multicolores qui emplissent tout l'espace à l'intérieur d'une simple chaîne ;

les grasses pelouses de son voisin ressemblent à un désert par comparaison. Une maison de banlieue plantée sur une colline est entourée de terrasses où s'épanouissent des plates-bandes ; des douzaines de variétés de couleurs et d'espèces différentes s'y mêlent en un méli-mélo magnifique. Un peu plus bas dans la rue, une maison beige et une pelouse impeccablement taillée sont encerclées d'un parterre immense de pierres, toutes également beiges, simplement ponctué par intervalles réguliers de superbes géraniums roses ; pas d'autres fleurs, pas d'autres couleurs pour cette propriété. Ailleurs, des jardinières regorgent de lierres et de pétunias. Les volubilis bleus et la clématite pourpre escaladent les barrières, grimpent sur les tonnelles et enlacent des réverbères ; les hémérocalles, « ces belles d'un jour », d'un jaune brillant, s'alignent sagement le long des trottoirs. Quant aux marguerites de toutes espèces, elles pointent fièrement leurs têtes au-dessus d'une nuée de mufliers et de sauge d'ornement. Les légumes se répartissent un peu partout sur le devant des maisons comme dans les jardins de derrière, chaque propriétaire laissant son empreinte quelle que soit la grandeur du lopin de terre qu'ils s'approprient.

Je me prends à former des images et à m'imaginer comment les gens vivent dans l'intimité de leur maison et de ces jardins : je me plais à deviner leur âge, leur style de vie, leur travail, leur progéniture ainsi que leur personnalité.

Bien sûr, ce ne sont là que des hypothèses. Car je ne sais en fait absolument rien d'eux mais certaines qualités s'associent d'elles-mêmes dans mon esprit à ce que je vois de la nature entourant leur foyer. Et les mots me viennent : droit, chaleureux, sale heureux, triste, « cool », libéré, coincé, sauvage, plutôt nature, artificiel, original et créatif. À voir certains jardins, on imagine tout de suite les enfants et les chiens jouant ensemble, un groupe joyeux échangeant quelques plaisanteries, ou encore le plat qui mijote, dégageant des effluves appétissants par la fenêtre de la cuisine ouverte. Certaines installations ont été manifestement arrangées pour pouvoir profiter à loisir d'un coucher de soleil ou d'un bon livre. D'aucuns semblent assez isolés et négligés, d'autres enfin ont été d'évidence forcés dans une forme très déterminée par une main à l'inflexible volonté.

Un jardin trahit encore la nature de la relation qu'il a établie avec son propriétaire, laquelle reflète aussi la relation de celui-ci à la vie. Et s'il est vrai qu'au plan physique nous sommes ce que nous mangeons, il se pourrait bien que, d'une certaine façon, nous soyons également nos jardins – tant aux plans émotionnel, psychologique que spirituel. Car l'approche que nous avons du jardinage révèle un peu celle que nous avons de la vie. Et ce que nous créons là dévoile un peu de nous-même.

Il arrive rarement que l'on passe toute sa vie en un seul

endroit : c'est ainsi que certains jardins reflètent souvent une des périodes de notre existence, une des multiples facettes de ce que nous sommes. Si je me soumets à ce petit jeu, je dois reconnaître que mon jardin cette année est la manifestation de ce que je suis aujourd'hui et maintenant. Mes jardins précédents ont raconté des histoires bien différentes, tout comme ils racontaient aussi l'histoire des jardiniers qui m'avaient précédée. Le jardin a une mémoire. Il ne reflète pas un cœur et une âme de façon totalement pure. Il reflète une légende personnelle et c'est au nouveau propriétaire de choisir ce qu'il conservera, ce qu'il supprimera et remplacera, constituant ainsi son apport personnel à cette mémoire.

Il convient de ne pas oublier dans ce tour d'horizon les jardins institutionnels. La roseraie publique, comme la serre de la ville ou l'arboretum reflètent toutes les études scientifiques de ceux qui en ont la charge comme la quête éternelle de la perfection. L'aménagement paysagé des immeubles de bureaux projettera l'image d'une efficacité aseptisée. Car le jardin d'une institution ou d'une entreprise préfère refléter les idéaux de l'homme que ses émotions. Et si nous en apprécions l'agencement au plan intellectuel, il ne touche pas vraiment notre cœur et notre âme. Tout simplement parce qu'ils n'ont pas été créés avec le cœur et l'âme. Ils sont – ils ne sont que – le fruit d'un travail bien fait.

De retour à la maison après cette balade dans les jardins d'autrui, je m'aperçois que mon regard a changé et que je vois dans mon jardin bien plus que ce qui est visible, tangible. Je vois par exemple les précédents propriétaires et l'architecte paysagiste qu'ils avaient engagé. J'y vois les épreuves que j'ai dû surmonter et les erreurs que j'ai faites ainsi que la trace des saisons que nous avons déjà passées ici. J'y vois des plantes que je n'aurais pas plantées si elles ne m'avaient pas été offertes. J'y vois toutes celles dont la plantation n'a pas abouti. J'y vois aussi les différentes étapes des plants passées… et à venir.

Et personne d'autre que moi ne peut voir tout cela. Car un étranger ne verrait rien de l'histoire du minuscule érable que ma fille a découvert un beau matin lorsqu'il n'était qu'une pousse sauvage et immature, qu'elle a entouré de ses soins et replanté afin qu'il puisse grandir bien droit avant de l'installer définitivement sur le devant de la maison. Ils ne verraient pas l'absence des ifs japonais qui ornaient les côtés de l'escalier de la façade et qui sont morts cette année de même qu'ils ne verraient pas l'espace vide jadis sous les pins, comblé aujourd'hui par une corbeille de magnifiques hostas pointant leurs délicates têtes bleu pourpre au-dessus de larges feuilles foncées remplissant le sous-bois. Ils ne devineraient pas que les plates-bandes d'impatientes sont un souvenir de mon ancienne maisonnette, que le jardin de légumes est un hommage à ma grand-mère. Seuls mes yeux peuvent discerner tout cela car le jardin est une projection de ce que je suis, un membre de mon corps, une parcelle de mon être.

Ce que d'aucun peut voir en revanche, s'il est suffisamment attentif, c'est l'importance de l'espace consacré aux légumes. Une forêt de pieds de tomates de près de un mètre quatre-vingts de haut fait de l'ombre à toute cette partie du jardin. Et il est vrai que le carré formé par les deux planches de légumes et par la corbeille d'herbes aromatiques, tout en n'étant pas plus grand que le terrain imparti aux fleurs, se distingue par sa présence et sa puissance. Si je ne maîtrise pas encore très bien la culture des plantes vivaces, je me débrouille en revanche parfaitement avec les légumes et les plantes annuelles. Un œil étranger pourrait bien se rendre compte que, à l'exception de quelques soucis d'un orange éclatant qui percent parmi les plants de légumes, mon jardin offre cette année au regard un dégradé de rose, de bleu et de violet, ignorant presque totalement le rouge, le jaune et l'orange.

À mon image, mon jardin est loin d'être parfait. Il a ses points faibles, ses erreurs et quelques espaces vides. Les fleurs y sont par endroits vigoureuses et florissantes, chétives et presque flétries dans d'autres. Certains coins sont très fertiles tandis que d'autres ont besoin qu'on travaille la terre et qu'on l'engraisse avant que quoi que ce soit puisse y prendre racine. Mais par-dessus tout, mon jardin reflète l'empressement qui me caractérise à faire beaucoup de choses puis à les laisser tomber et à tourner les talons. Il représente les deux facettes de ma personnalité, tant artistique que pratique, ma volonté incessante de nourrir autant l'esprit que le corps – même s'il m'arrive parfois de négliger l'un pour l'autre et réciproquement. Il est l'allégorie de l'attention que je lui porte de façon intermittente et un peu dispersée, l'allégorie du tour constant de passe-passe qu'est ma vie.

Mais je vois également en lui mon universalité, ses potentialités, ses possibilités. Ce que j'aime fleurit, alors que ce que je tolère à peine flétrit. Tout ce à quoi je donne ce qu'il faut pour s'épanouir se développe et se plaît. Je vois encore que toute chose connaît un temps de pleine floraison et un temps de déclin et de mort.

Voilà que je commence à comprendre et à accepter que le sarment doit souffrir pour pouvoir porter une plénitude de fruits sains et juteux.

Mon jardin ne cesse de se transformer, d'évoluer, de s'améliorer. Il n'atteindra jamais la perfection. Tout comme moi, tout comme tout être vivant – il se transformera toujours pour donner une fleur nouvelle et différente. Ce mouvement de la nature qui le porte vers l'avant se manifeste autant dans le jardin que dans le jardinier. Et si le mien n'est jamais exactement le même d'une année sur l'autre, c'est que je ne suis jamais la même.

Le zen nous invite à nous perdre – c'est-à-dire à nous libérer de notre identité *pour être, simplement,* au sein de la totalité, pour nous fondre dans l'univers dont nous sommes une parcelle ; ainsi nous trouverons la vérité et verrons la vraie réalité au-delà des apparences. En nous perdant, nous nous retrouvons, reflété dans ce jardin. Car celui-ci nous montre qui nous sommes si nous voulons bien accepter de le voir. Le zen nous apprend que toute chose dans ce bas monde est la métaphore d'une vérité supérieure. Notre jardin, quant à lui, nous apprend que toute chose dans la nature est une métaphore d'une des facettes de notre être. Mais tout comme dans un hologramme, ce qui est en nous est l'univers en son entier. Nous sommes la nature, et réciproquement. Nous sommes en même temps la métaphore et ce qu'elle représente, l'apparence et la réalité. Nous sommes la goutte d'eau et l'océan.

Je me perds dans mon jardin pour mieux découvrir qui je suis vraiment.

NE RIEN ATTENDRE

La première qualité d'un jardin n'est pas de donner à son propriétaire des fruits et des légumes...
Mais bien de lui enseigner la patience, la philosophie et les vertus supérieures, à savoir la capacité à voir son espérance déchue et ses projets différés.

CHARLES DUDLEY WARNER.

Le jardinier apporte la toile, monte le chevalet et esquisse le paysage. Mais, au fur et à mesure que le temps passe, il lui faut constamment s'écarter de son ébauche et remettre son pinceau dans les mains de la Nature. Voir tout ce que l'on chérit vigoureusement modifié par la main sans pitié de la nature peut être une agonie mais également une source d'extase.

BEVERLY NICHOLS.

CHAQUE année, nous fourmillons d'idées et de projets. On ne peut s'empêcher de planter graines et plants en visualisant les fleurs et les fruits qu'ils donneront. Et ce sont ces visions et ces plans projetés qui nous motivent. Au sens littéral du terme, nous posons le canevas, et organisons les matériaux bruts à notre disposition, de façon à créer un jardin fidèle à nos rêves. Nos yeux voient déjà les massifs resplendissants de couleurs, les feuillages luxuriants, des fruits et des légumes en abondance là où il n'y a pour l'instant que terre nue. Car l'esprit voit ce que l'œil ne peut entrevoir.

Et ces visions sont idylliques, cela va de soi ; les fleurs sont magnifiques et les légumes gorgés de sève. Tout pousse vite et arrive à maturité. Nos rêves ne font pas la plus petite place aux larves qui se gavent de la sève des sarments ni aux rongeurs affamés ; ils n'imaginent pas une seconde que les feuilles puissent jaunir ou se picoter de brun ; pas de maladie, pas de sécheresse, pas de nuée d'insectes ni d'erreur de pépiniériste à l'horizon. Les rêves espèrent que chaque graine germe, que chaque plante fleurisse, que chaque sarment se couvre de fruits brillants. En un mot nous rêvons de jardins tels qu'on en voit dans les magazines.

Et cette tendance perfectionniste ne se limite pas au jardinage. Car nous attendons aussi de notre corps qu'il nous obéisse sans faillir ; que nos choix et nos comportements aient les conséquences que nous avons prévues ; que nos relations se prolongent et prennent telle ou telle orientation, plaisante de préférence. Et quand les choses ne tournent pas comme nous l'avions espéré, nous sommes surpris, et nous nous mettons en colère. Car, après tout, les choses ou les gens étaient censés réagir de telle ou telle façon ! Alors que s'est-il passé ? Et l'homme d'adhérer avec obstination à son premier point de vue jusqu'à ce que les événements le forcent à porter un autre regard sur le monde.

Au jardin, cette volonté de perfectionnisme est plus manifeste car les plantes sont *censées* germer et mûrir dans le temps exact indiqué sur le paquet de graines. Elles sont *censées* ressembler trait pour trait à l'image idyllique de l'étiquette : nous aurons le plus beau spécimen du voisinage. Les centres de jardinage sont *censés* offrir les garanties de qualité mais l'erreur est humaine : ils sont aussi *censés* avoir quelques défauts. Et mon jardin n'échappe pas cette année à cette règle de la nature ; il m'a fallu concéder bien des modifications et abandonner un certain nombre de projets originaux. Il m'a été impossible de planter le lilas où je l'avais prévu ; tous mes plants de poivrons ont attrapé une maladie et sont morts ; près de la moitié de mes hémérocalles, pourtant nettement étiquetées roses sur le paquet, s'épanouirent en une superbe floraison d'un violet profond avec un liséré jaune du plus bel effet ; quant à mes plants de courgettes, après avoir donné de belles fleurs jaunes très prometteuses contrastant magnifiquement avec les feuilles d'un vert émeraude, ils se sont effondrés brutalement ; ce sont les vers qui en ont fait leur ordinaire et non ma famille.

Il m'a donc fallu ajuster constamment ma pensée et

changer mes projets. La seule alternative possible pour éviter d'être constamment déçue est en fin de compte de ne rien attendre du tout. Je continuai donc de m'occuper du jardin, en restant cette fois totalement à l'écoute de ce qui pourrait bien arriver. Je fis de moi la personne la plus souple qui soit, la plus adaptable. Je fis des efforts pour ne pas penser à ces difficultés comme à des échecs mais seulement comme à un *changement*. J'essayai en fait d'attendre l'inattendu. Et même cela, j'ai appris qu'il fallait ne pas l'attendre. Car le but du zen, c'est l'absence de désir ou d'espoir. Et même s'il y a là un idéal quasiment impossible à atteindre, tenter d'y parvenir change notre optique et notre regard, nous libérant au point que nous pouvons par un retournement de situation profiter pleinement de *chaque chose*. Sans jugement ni intervention du mental. Ce qui arrive *est*, tout simplement ; on fait alors l'expérience de la vraie réalité sans que celle-ci soit masquée par le nuage sombre des désirs et des rêves condamnés.

Notre culture nous enseigne très tôt à croire en noir et blanc ; il y a de bonnes et de mauvaises questions, il y a de bonnes et de mauvaises réponses, de bons et de mauvais résultats. On nous apprend à penser de façon logique et linéaire ; B succède à A et C succède à B. Si c'est vrai, tout doit s'ensuivre. Cette logique est garante d'efficacité. Si bien que, à la moindre alerte, la faillite de ce système remet en cause tout notre mode de pensée et nous fait tomber dans l'absurde. Or, par ironie, la nature est toujours parfaitement logique. La seule chose que nous oublions (ou refusons de croire) c'est que nous ne *savons pas tout et que nous ne pouvons tout contrôler*. Voilà ce que notre ego d'humain a du mal à accepter. Mais c'est bien cette acceptation qui est au cœur de l'enseignement. Accepter de ne pas tout contrôler, c'est accepter de ne rien attendre, et ne rien attendre c'est aimer notre jardin.

Tout ce qui se passe dans la nature arrive exactement quand c'est le moment ; les vers sont censés manger les plants de courgettes tandis que les pucerons sont censés se délecter des tomates et transporter des virus. Et, bien que les jardineries soient censées ne pas se tromper dans l'étiquetage des paquets de plantes, j'ai appris à accepter ces erreurs. Les belles-de-jour pourpres – et non jaunes – sont magnifiques de toute façon. Telle est la leçon. Nous n'avons pas à connaître le détail du fonctionnement de la nature et dussions-nous essayer que nous ne le pourrions pas. Telle est l'autre leçon. Nous ne pouvons maîtriser ce qui se passe à l'extérieur de nous-même. Voilà bien sans doute l'enseignement le plus difficile à intégrer.

Car c'est bien de contrôle que parlent tous nos plans et nos projets. Si nous obtenons tous les résultats escomptés, c'est que nous maîtrisons le processus, ce qui est extrêmement satisfaisant. Mais si le moindre grain dans la machine grippe nos plans et leur donne une orientation différen te, nous perdons le contrôle et prenons peur. Cette illusion qu'a l'homme de maîtriser les événements est le propre de l'ego ; son effet est ambigu. Si nous transposons cette philosophie dans le jardin, la nature se charge bien vite de nous faire connaître qui contrôle quoi ; nous risquons alors de découvrir que nous ne contrôlons rien du tout. Une seule alternative se présente à nous : lancer un défi et tenter en vain de reconquérir cette maîtrise des choses et des événements, ou bien laisser faire et accepter que les choses se déroulent suivant une évolution qui comporte sa propre beauté et sa propre perfection, évolution bénéfique à la seule condition qu'on laisse le processus se dérouler normalement.

Il est clair que je n'ai pas beaucoup apprécié la perte de mes poivrons et de mes courgettes. J'étais évidemment déçue lorsque j'ai découvert que la couleur de mes lys différait de celle que j'attendais mais je me suis bien vite dit : *Quelle différence cela fait-il vraiment ?* La vie au jardin est une aventure excitante, pleine de retournements de situation, de clins d'œil et de surprises, pleine d'enseignements à intégrer. On ne s'y ennuie jamais. Chaque année renouvelle le genre, et chaque jardin nouveau est un territoire totalement inexploré. Qui sait ce qui pourra bien arriver ? Et qui *veut* vraiment savoir tout à l'avance ? Quel plaisir y aurait-il ?

J'ai appris à jardiner sans le moindre effort. Le coléus

que j'ai planté sur la terrasse ne s'est pas aussi bien développé que je l'espérais ; un petit rongeur très industrieux a
décidé, semble-t-il, de faire ses choux gras de ma récolte de
carottes naines ; quant à mes plants de tomates, ils ont
monté si haut qu'il me faut installer des pieux de plus de
deux mètres pour les retenir. Dès que nous acceptons de
sortir de notre ego et de regarder la nature, nous sommes
frappés d'une crainte mêlée de respect. Et nous ne pouvons nous empêcher d'être reconnaissant à celle-ci de ses
tours et détours, de cette voie zigzagante vers la sagesse
ultime.

Adopter l'*attitude zen consistant en l'absence de désir et
de prévision* dans l'art du jardinage, c'est se préparer à
l'adopter dans la vie quotidienne. Lorsque ma voiture
tombe en panne, ce n'est plus un désastre ; c'est un événement. Quand je ne suis plus en mesure de financer les travaux que je voulais faire cette année dans la maison, ce
n'est pas la fin du monde. Quand plusieurs de mes collabo-
rateurs démissionnent en même temps, c'est que c'est le
moment de changer. En vérité, *c'est tout le temps* le temps
de la surprise et du changement. N'est-ce pas ce qui met
du sel dans la vie ?

L'ATTENTION

Quelle que soit la tâche que vous effectuez, faites-la lentement, tranquillement, avec l'attention qu'elle mérite.
Ne la bâclez pas pour en finir. Soyez relaxé en toute chose et portez-y toute votre attention.

THICH NHAT HANH.

Tel est le bonheur : se dissoudre dans quelque chose de grand et d'achevé.

WILLA CATHER.

Une de mes amies m'a raconté une histoire vécue. Elle s'était décidée à nettoyer le pied desséché de ses volubilis. Elle n'en avait pas vraiment envie mais elle s'y sentait obligée par une petite voix qui l'admonestait et qui lui rappelait sa mère. Malgré la tendance naturelle qui l'inclinait à laisser ce genre de corvée de côté jusqu'à ce qu'elle ne puisse plus faire autrement, par une belle journée de juin elle se décida à nettoyer les rameaux morts.

Les branches mortes avaient grimpé le long du mur du

garage le long d'un fil qui y était cloué sur le mur sur une hauteur de près de six mètres. Certains des rameaux formaient des entrelacs serrés qui leur donnaient plus de force. Mais à première vue, venir à bout de ce nettoyage ne prendrait pas plus d'un quart d'heure. Gantée et résolue, le sécateur à la main, mon amie entra dans les buissons de fleurs n'écoutant que la petite voix qui se faisait insistante. En un instant, elle ne fut plus que gesticulation : elle coupait, tirait, par en haut, par en bas et jetait au loin les branches mortes. Elle n'avait à l'esprit qu'une seule idée : terminer le plus vite possible pour passer à quelque chose de plus intéressant. En toile de fond, elle avait vaguement perçu le piaillement bruyant d'un couple de gobe-mouches. Mais son attention était ailleurs ; elle continua de tirer sur les rameaux. Elle se rapprochait de la fin de cette corvée avec plaisir.

Elle leva les yeux pour trouver le prochain point névralgique qu'un judicieux coup de sécateur allait faire tomber et vit à une trentaine de centimètres au-dessus de sa tête un petit nid d'oiseaux qu'elle reconnut comme celui de gobemouches. Au moment où son regard le repérait, le nid bascula en avant : en jaillirent deux petits œufs de couleur bleue qui vinrent s'écraser sur une marche de pierre. Elle comprit brutalement ce que les oiseaux par leur bruit avaient essayé de lui dire. Mais les œufs gisaient à ses pieds irrémédiablement détruits. Le nid vide pendait au-dessus de sa tête. Les deux parents devenus soudain silencieux restèrent un moment sur une branche du voisinage avant de s'envoler au loin.

Mon amie ravala ses larmes en se laissant tomber sur le sol toute à la sensation douloureuse de la perte. Car elle avait non seulement détruit les œufs mais déstabilisé la vie de toute une famille d'oiseaux qui avait choisi son garage pour nidifier ; elle comprit brutalement qu'elle s'était fermée à tout un monde, celui-là même avec lequel elle cherchait à communiquer en jardinant. Parce qu'elle s'était focalisée sur la voix impérieuse, elle n'avait pas écouté la voix douce de la nature. Toute à sa volonté de finir, elle n'avait pas pris conscience de ce qu'elle faisait au moment où elle le faisait.

Cette histoire illustre à merveille les pièges dans lesquels nous tombons tous les jours. Attentifs à la voix de l'ambition et de la colère, au bavardage incessant de notre esprit qui ressasse le passé et projette le futur, nous oublions complètement d'être à l'écoute du murmure discret du moment présent, de l'ici et maintenant. Or, nous ne pouvons aider, nourrir et créer que lorsque nous agissons en pleine conscience ; tout ce qui est fait sans conscience est destructeur. Agir en conscience ne se limite pas à connaître l'acte que nos mains accomplissent mais les effets de celui-ci, proches et lointains, directs et indirects. Le terme « attention » signifie ici conscience, non pas seulement du caillou qu'on lance dans l'eau mais de tous ses ricochets.

J'ai attaché hier mes pieds de tomates à des tuteurs d'environ un mètre quatre-vingt. Ils avaient en effet dépassé leur petit grillage initial et retombaient lourdement sur le sol chargés de fruits encore verts. Avec beaucoup de précaution, j'ai relevé les pieds et les ai appuyés contre le tuteur de bois avant de les attacher avec des morceaux de tissu ne risquant pas de meurtrir leur chair tendre. Et pendant que je travaillais, je respirais les senteurs fortes des tomates, du basilic, des oignons, de l'ail et des soucis. Je percevais le croassement des corbeaux sur la cime des arbres et l'aboiement des chiens au loin. Je notais aussi la transparence étonnante des libellules qui voletaient alentour.

De temps en temps mon esprit glissait vers ce bavardage qu'il affectionne tant, jugeant chacun de mes actes, m'emplissant de sollicitude pour les tomates vertes qui tombaient des tiges au fur et à mesure que je progressais et pour les tuteurs qui se cassaient en deux quand je les enterrais. Je tâchais doucement de recentrer mon attention et d'accomplir chaque geste avec beaucoup de soin, de douceur et de lenteur. Je fermais les yeux pour mieux respirer l'air, ressentir ma respiration et revenir dans le moment présent. C'était comme si mes mains étaient un prolongement des plants de tomates. Je relevais les tiges et ressentais intuitivement où elles voulaient aller. Je laissais certaines d'entre elles libres, les inclinant seulement vers l'endroit où elles semblaient les plus heureuses. Je rassemblais les fruits tombés dans un sac en papier pour les faire mûrir.

Être attentif, c'est ouvrir son esprit et passer du mode bavardage au mode silencieux de l'écoute. C'est dans ce sens que la cérémonie du thé est une pratique classique de l'attention. Car il s'agit d'un rituel méticuleux mettant en scène un acte très simple et très habituel : préparer et boire le thé. Le point essentiel est de maintenir l'esprit totalement concentré, pleinement conscient de chaque instant. Combien d'actes accomplissons-nous de cette façon dans nos vies quotidiennes ? Très peu sans doute car nous ne cessons de courir, de nous agiter, de faire des choses, et d'en finir avec elles aussi vite que nous les avons entreprises. Quand donc sommes-nous pleinement concentrés, simplement sur ce qui *est*, ici et maintenant ?

L'art du jardinage nous offre bien des occasions de pratiquer l'attention. Par exemple, désherber prend sa pleine dimension : on est alors pleinement conscient du mouvement des mains, on ressent ce qu'est le sens du toucher lorsque nos doigts rencontrent l'herbe et le sol, on entend les minuscules racines se déchirer sous le sol quand nous les tirons, on voit chacune de leurs feuilles et on respire leur parfum. Arroser, planter, bêcher, ratisser ou récolter les fruits et les légumes ; autant d'actes, autant de pratiques possibles de l'attention en pleine conscience. Et si notre esprit vagabonde comme il sait si bien le faire, il suffit de le ramener à son point de départ et de se concentrer sur la respiration pendant un moment.

L'histoire de mon amie m'a rappelé l'enseignement zen de l'attention. Désormais je commence toujours par m'asseoir et respirer, pour prendre pleinement conscience de mon corps et de tout ce qui l'entoure. Je laisse passer quelques minutes afin de laisser au jardin le temps de me dire ce que je dois faire ; et je m'y mets doucement en apportant beaucoup de soin. Lorsque mon esprit s'aventure, je fais une pause, me demandant ce que mes doigts ressentent, ce que mes oreilles entendent, ce que je suis en train de respirer. Avant que mes mains n'aillent trop vite et ne commettent des actes que je sois amenée à regretter, je prends le temps de me consacrer au jardin avec attention. Et j'aime cela plus que tout au monde.

LE POTAGER

> Voilà que j'aime aujourd'hui mes rangées de
> légumes et mes haricots bien plus que je ne l'au-
> rais voulu. Ils m'attachent à la terre et me don-
> nent la force d'Antaeus.
>
> HENRY DAVID THOREAU.

Les fleurs de mon jardin finissent leurs jours dans des
endroits aussi variés que la fosse à compost, la poubelle et,
dans les meilleurs des cas, les vases de la maison. Leur fonction est de rendre le jardin plus beau, plus odoriférant,
plus magique en quelque sorte, puis elles sont recyclées en
engrais enfoui dans le sol qu'elles fertilisent pour permettre une autre récolte de plantes, une autre saison de
fleurs. Il en va tout autrement d'un potager. Car s'il est
aussi beau et s'il sent aussi bon que les plates-bandes de
fleurs, les légumes que l'on y cultive ont également une
fonction nourricière.

  J'ai eu de nombreux potagers et connu des résultats très
variés selon les années. J'ai tâté de tout : poivrons, haricots,
épinards, aubergines, carottes, brocolis, concombres, lai-

tues, choux, choux de Bruxelles, courgettes et courges, oignons aussi, sans oublier l'ail. J'ai passé des jours entiers sous la chaleur d'août à mettre des tomates en conserve et de petits légumes en saumure pour faire des « pickles ». J'ai également passé des matinées glacées d'octobre à cueillir des potirons pour en faire des tartes.

Je me suis toujours sentie plus à l'aise dans le potager. Sans doute les souvenirs du jardin de ma grand-mère y sont-ils pour quelque chose. Car son truc, c'était les légumes ! Elle avait les plus délicieuses et les plus grosses tomates de toute la région. Elle s'occupait avec une tendresse toute particulière de son petit bout de terrain, l'engraissant fidèlement chaque année pendant près de trente ans de bonne tourbe et de terreau. La terre en était devenue presque noire et exhalait senteurs de menthe verte et de basilic. On y voyait le spectacle magnifique des haricots d'Espagne, qui faisaient l'ascension d'une treille blanche, posée contre son garage, et de pissenlits cueillis et soignés et celui de belles salades pommelées.

Parmi les innombrables légumes que j'ai plantés au cours de toutes ces années, celui que je cultive le mieux est celui que je préfère. Ce sont les tomates ou « pommes d'amour », ce qui est un bien beau programme. Il y en a de toutes sortes : « Merveille des marchés », « Mikado », « Perfection » ou « Roi Humbert », sans oublier la « Roma » et la « San Marzano » pour les variétés italiennes, et la « Cerise ». J'en ai planté partout : dans de petits jardins et de grands jardins, dans les pots de mes terrasses, ou dans les jardinières de mes balcons de la ville. Et toujours, ma récolte fut aussi abondante que savoureuse. Les tomates apprécient particulièrement le voisinage du basilic et du persil et j'ai toujours eu la main heureuse dans ce domaine. J'aime les cuisiner ensemble, la tomate coupée en cubes avec le hachis de basilic et de persil pour faire des pâtes en sauce ou de grands plats de riz.

Les tomates demandent beaucoup d'attention dans la mesure où elles possèdent quelques ennemis naturels aux doux noms de : chenilles et nématodes, anguillules et acariose bronzée pour les parasites animaux ; mildiou, septoriose ou cladosporiose pour les maladies. C'est la raison pour laquelle je plante des soucis autour des pieds car ce sont les meilleurs gardiens de leur intégrité, du moment qu'on les met suffisamment tôt en terre et qu'on les laisse prendre racine – car leur effet souterrain perdure ainsi jusqu'à l'année suivante. On peut également utiliser des vermifuges, lesquels doivent être de préférence naturels et organiques pour être plus efficaces : on peut encore choisir de les fabriquer soi-même en mélangeant des poivrons rouges, des oignons et de l'ail. Il faut enfin leur mettre des tuteurs et éclaircir les feuilles du bas du pied pour éviter que les fruits et les feuilles ne touchent le sol… et les vers qui y habitent.

Il arrive que des tomates encore vertes tombent du sarment. Au contraire de ceux qui les cuisinent telles qu'elles sont, je préfère les mettre à part dans des sacs en papier pour les laisser mûrir. Il faut en effet les préserver du soleil pour qu'elles rougissent sans pourrir : car si elles ont besoin de soleil sur pied, c'est la pénombre qui leur est propice une fois qu'elles sont tombées. Dès qu'elles sont rouges, il faut les utiliser aussitôt, sans les passer au réfrigérateur ou les congeler car elles perdent alors toute leur saveur. Et si votre récolte est aussi abondante que la mienne, il vous faudra faire des conserves pour l'hiver. La méthode en est très classique : il suffit d'ébouillanter les fruits et de les mettre dans des bocaux stérilisés. On peut conserver les tomates seules avec un peu de sel ou leur ajouter des oignons et des poivrons coupés en fines lamelles. Dans tous les cas, au plus froid des jours d'hiver, ces tomates en conserve ont un petit goût de vacances d'été qui procure un vrai bonheur du palais et de l'esprit. Inutile de vous décrire la différence de saveur de ces tomates, que l'on a soi-même cultivées et cuisinées, avec les fruits que l'on nous vend en conserve dans les magasins.

À chaque espace, sa variété de tomates. Méfiez-vous : ce n'est pas parce que les tomates-cerises sont toutes petites que leurs pieds ne prennent pas de place. À chaque utilisation culinaire, sa variété de tomate. La « Roma » ou la « San Marzano » (laquelle mûrit plus tardivement) sont excellentes pour faire des pâtes en sauce car elles sont moins aqueuses et plus charnues que les variétés plus grosses. Les tomates-cerises font la joie des grands et des petits, en salade ou coupées en deux parsemées d'huile d'olive, de basilic, de persil ou de toute autre herbe fraîche. Ce sera encore meilleur avec une pointe d'ail et un peu de vinaigre de vin rouge. Également goûteuse en vinaigrette ou en farcis, n'oublions pas la « Merveille des Marchés » au fruit rond et lisse d'un rouge luisant, la « Marmande » au fruit aplati à côtes peu prononcées, ou la « Saint-Pierre » à fruit globuleux d'un rouge vif résistant à l'éclatement.

Par ailleurs, il faut faire attention aux périodes de maturation de ces variétés car elles peuvent être très différentes. Il est bon d'avoir une espèce hâtive et quelques espèces tardives car ainsi on peut profiter de tomates fraîches pendant la plus grande partie de l'année. Et c'est parce que mon jardin en est toujours pourvu que j'ai appris à les mettre en conserve ou à les accommoder avec des petits légumes en saumure. N'oubliez pas non plus que certains légumes se combinent heureusement pour donner d'excellentes confitures. C'est ainsi que j'aime à suivre une des recettes de ma grand-mère qui mélangeait différentes sortes de poivrons à de l'huile d'olive pour donner un condiment aussi original que délicieux[1].

On peut également savourer fruits et légumes directement cueillis sur pied ou sur arbre. C'est d'ailleurs là un élément primordial de la qualité du potager car, en protégeant la récolte grâce à des pesticides organiques, on peut la rendre comestible sans avoir à peler, éplucher ou cuire le fruit. C'est la meilleure façon de préserver le parfum, les vitamines et les différents éléments nutritifs, tout en se libérant d'une fastidieuse préparation.

On peut manger zen et nourrir notre corps et notre âme en croquant à belles dents dans les tomates, les carottes, les haricots verts, la laitue, les oignons, les poivrons, les courgettes et les concombres tout juste cueillis.

Car le goût et l'arôme des fruits et des légumes frais ne cessent de nous rappeler notre intimité avec la terre. Et l'on ressent bien mieux la relation qui nous lie à la nature en voyant les fruits qu'elle nous donne jaillir presque littéralement de terre sous nos yeux. C'est ainsi que l'on reconnaît l'aptitude de la planète à nous nourrir. Cultiver notre

---

1. En guise de clin d'œil, voici une recette originale de tomates séchées d'origine sicilienne. Couper les tomates en deux avant de les faire sécher au soleil. Une fois celles-ci déshydratées, les laver et bien les essuyer puis les faire macérer dans un bocal rempli d'huile d'olive et d'ail pilé avec un peu d'origan et de basilic. [*N.D.T.*]

propre nourriture, subvenir à nos besoins de cette façon perdurent ce contact intime avec la source de la vie. Moins il y aura d'intermédiaire entre la terre et nous, plus nous profiterons de cette relation que nous entretenons avec elle. C'est ainsi que le lien qui nous relie à notre jardin devient de jour en jour plus réel, plus personnel, plus intime. Le potager nous donne la vie. Nous ne faisons qu'un avec les plantes de notre jardin. Mais au-delà de l'image et du vécu spirituel, nous vivons cette fusion concrètement ; nous ne faisons qu'un avec la nourriture qui nous vient de notre jardin *au sens littéral du terme*. Car les produits de notre potager finissent leurs jours à l'intérieur de notre corps, la terre entre en nous et nous redonne la vie. Avec les légumes que nous cultivons, avec la terre sur laquelle nous marchons, nous ne formons qu'une seule et même entité, qui se désaltère et nage dans l'océan de la vie.

LE REGARD

Au fur et à mesure que vous descendez une rue, vous réglez votre « récepteur » sur un certain nombre de fréquences radio. À chaque mise au point, vous prenez en quelque sorte une voie différente. Mais ce n'est pas la rue, ce n'est pas la voie qui change. C'est vous qui évoluez.

RAMDAS.

De tous ceux qui sont passés devant votre jardin, combien ont réellement vu l'amandier en fleur ?

THICH NHAT HANH.

Voir le monde dans un grain de sable
Et les Cieux dans une fleur sauvage,
Tenir l'infini dans la paume de la main
Et l'éternité dans une heure du temps qui passe.

WILLIAM BLAKE.

La perception est sans doute le sens le plus rusé de l'être humain. La plupart du temps, nous ne voyons pas ce qui est juste sous notre nez alors que nous voyons tout ce qui n'y est pas. Ce regard n'est pas le reflet de l'acte accompli par nos yeux ; le regard se passe dans notre esprit ; il vient de notre mémoire, de nos croyances, des points de vue et des différentes perspectives d'où nous envisageons les choses et les êtres. Plusieurs personnes verront la même chose et en feront une description totalement différente.

On dit souvent que l'on voit ce que l'on veut bien voir : ceci est par trop simpliste. Car nous voyons aussi un tas de choses que nous ne souhaitons pas voir mais que pourtant nous *choisissons* de voir. Et c'est bien le résultat de ce choix qui rend la perception si confuse et si difficile. Car nous choisissons en fait le *sens* que nous donnons aux choses vues. Et donc nous ne voyons pas seulement ce que nous voulons voir mais bien ce que nos yeux et nos esprits sont *disposés* à voir – en fonction de *l'ouverture* d'esprit que nous avons. Et il faut bien avouer que la plupart du temps nos esprits ne sont pas spécialement ouverts. Notre perception est relativement étroite, fondée sur ce que nous attendons, ce que nous croyons a priori et ce que nous pensons être *censés* voir.

Notre angle de vue est très réducteur : plus ou moins scientifique, artistique, académique, émotionnel, politique et ainsi de suite. Tout dépend en fait de notre position, de notre travail et de la situation dans laquelle nous nous trouvons. Nous voyons ce qui n'y est pas au lieu de voir ce qui s'y trouve. Nous ignorons tout ce qui ne fait pas partie des notions préconçues ou dont nous avons décidé une fois pour toutes qu'elles étaient inconséquentes. Nous inventons ce que nous espérons trouver même si ce n'est pas là que cela se trouve. Et, dans le fond, nous finissons par ne voir qu'un reflet assez précis de nous-mêmes !

De la même façon, l'individu projette dans son jardin et sur la nature innocente ses espoirs, ses craintes, ses doutes, les fruits de son éducation, ses croyances et ses préjugés. Il juge et compare constamment au lieu de simplement regarder et voir la réalité. Le jardin existe tout autant au fond de sa tête que dans la réalité concrète.

S'il est vrai que nous sommes libres de choisir notre angle d'approche, notre point de vue, quel est ici le point de vue du zen ? En fait Il n'y en a pas. Il s'agit de *simplement regarder* exactement comme il faut simplement s'asseoir, simplement marcher, simplement jardiner ; d'adopter une attitude d'ouverture totale, le fameux « état d'esprit du débutant » fondé sur la réceptivité ; de laisser le monde nous dire ce qu'il a à nous dire ; de laisser chaque facette de l'univers se révéler à sa façon, en son temps. Dans le jardin, le zen nous invite donc à simplement *regarder,* les yeux, l'esprit et le cœur ouverts : *regarder avec l'intelligence du cœur.* La délicate fleur jaune, la vigoureuse tige verte, le fruit d'un rouge luisant, tous ont leur propre histoire à raconter. Quant aux feuilles jaunies, elles peuvent nous inviter à moins les arroser, celles qui se flétrissent à leur donner plus d'eau. L'arrêt de la croissance des soucis à l'ombre ou des impatiences en plein soleil nous montre les erreurs commises.

Il est bien difficile d'écrire quelque chose de censé sur *le simple fait de regarder* car justement il s'agit de *simplement faire.* Choisissez une plante et asseyez-vous devant elle un moment. Regardez-la, pénétrez en elle, touchez son intimité. Tâchez de clore la bouche aux bavardages de votre esprit et de recevoir les messages plutôt que de les envoyer. Reportez toujours votre pleine attention sur l'acte en cours d'accomplissement. Car il en va là comme dans la méditation où vous vous concentrez de nouveau sur votre respiration afin de rétablir la paix en vous. Pratiquez cet exercice avec de nombreuses plantes, des fleurs, des feuilles, voire des légumes variés. Videz-vous simplement, et le jardin vous remplira.

Cet exercice, en renouvelant votre mode de perception, renouvellera votre regard sur chaque facette de votre vie. Vous serez alors en mesure de reconnaître en vérité ce qui est en face de vous au lieu de projeter ce qui est déjà dans votre esprit, un peu comme pour les hologrammes. Il ne s'agit pas d'ailleurs de ne plus voir le négatif et de ne voir que le positif ; il s'agit de *mieux voir la réalité au-delà des apparences.* Il suffit de *simplement regarder* au-delà de la barrière de nuages formée par nos anciennes perceptions. L'autre jour, j'ai observé la danse d'une abeille sur un tournesol. Puis j'ai travaillé au jardin débarrassée de cette vieille peur des abeilles. Je ne sais pourquoi ni comment cette peur a disparu, mais c'est un fait. Et je n'ai même pas eu le geste de rejet dont je suis coutumière quand le bourdonnement familier de l'insecte vient tourner près de moi. Une autre fois, j'ai concentré mon attention sur mon buisson de romarin pour découvrir que ses petites feuilles étaient pleines d'une huile aux effluves puissants et magiques. Aujourd'hui, j'ai décidé de m'attacher à la première aubergine d'un pourpre foncé, un légume que je n'ai encore jamais cultivé. Que croyez-vous que je vais y trouver ?

TROUVER LA PAIX

Sans doute y a-t-il une bonne raison expliquant l'amour que nous avons pour la nature non humaine ; en effet la communion avec elle restaure en nous un des plans de la nature humaine, celui où nous sommes totalement sains, libérés des mystifications, hors de portée des angoisses.

ALAN W. WATTS.

Bêcher mon jardin guérit tous mes maux.

RALPH WALDO EMERSON.

Lorsque l'on ressent de la colère, du dégoût ou un manque de confiance en soi, jardiner est sans doute le meilleur des remèdes. C'est ce que je conseillais encore récemment à un ami surmené, sous-estimé par son milieu professionnel et stressé. Je ne pense pas qu'il a suivi mon conseil et lorsque j'ai entendu dire qu'il avait été relevé de sa fonction pour s'être trop plaint de celle-ci, je suis allée déverser ma colère dans le jardin. Car c'est en bêchant la fange et en enlevant les mauvaises herbes que j'ai essayé de nettoyer une situation ; je suis passée alors par toutes les phases possibles de l'émotion.

Comment diantre les gens en place peuvent-ils prendre une décision affectant la vie d'autrui sur un simple bruit de couloir et avec si peu d'ouverture d'esprit ? Je déchirai de rage de délicates fleurs de trèfle et les jetai au diable. *Et pourquoi faut-il que les gens attendent toujours une opportunité pour obtenir ce qu'ils veulent, sans se préoccuper de la personne au-dessus de laquelle il faut passer pour l'obtenir ?* J'attaquai sauvagement le sol à la binette. *Est-il vrai après tout que les garçons sympathiques soient toujours les derniers ?* Je sentis ma colère se transformer en tristesse. *Suis-je donc folle de trop croire dans la bonté du genre humain ?* Je fermai les yeux et respirai à pleins poumons l'air embaumé de romarin. *Où sont donc passées ces valeurs morales dont les gens parlent tant ?* J'ai cueilli des haricots verts pour le dîner et des fleurs pour ma maison. Petit à petit, mon esprit cessa son bavardage. Et c'est en silence que je reconnus la *petitesse* des choix humains au cœur de la structure globale des choses, la *petitesse* de l'homme par rapport à cette immense nature au sein de laquelle nous vivons. Je perçus la vérité de la fameuse loi du karma et la nécessité de restaurer l'équilibre des forces. Tout arrive à dessein ; chaque instant est parfait, tel qu'il est. Tout est juste.

Parce qu'il nous rapproche de ce contact direct avec la terre et de notre vraie nature essentielle, jardiner nous ressource. Il est vrai que nous perdons tant de temps et d'énergie à l'occupation politique et non naturelle. Le jardin nous rafraîchit et restaure notre vrai soi. Il nous donne la force de faire face à nos tâches et à nos problèmes avec une énergie renouvelée.

La colère et le trouble font perdre de vue les vérités fondamentales de l'univers. Dans la pratique du Tai Chi, le corps effectue des mouvements très lents et parfaitement définis afin d'apprendre à concentrer l'attention et à ressentir par tous les pores de la peau l'énergie de l'univers. C'est là une pratique qui, à l'instar de la méditation ou de la cérémonie du thé, ramène dans l'instant présent, l'ici et maintenant. Elle fait toucher du doigt la paix intérieure, naturelle. Et l'énergie qui sourd de cette paix profonde, intime, suit son flux naturel à travers nous et hors de nous dans le monde. Une concentration calme nous permet de bloquer ce flux d'énergie. Il n'y a là aucune épreuve de force, ni même la création d'un processus différent ; c'est simplement une nouvelle re-connaissance dans une vérité éternelle de la nature.

C'est par une approche de cette nature que l'art du jardinage devient véritablement une pratique zen dont l'accomplissement est pacificateur. Même lorsque nous sommes assaillis de sentiments mélangés, que nous sommes troublés par notre humaine condition, le jardin par miracle nous renvoie à notre véritable soi, à notre état naturel pacifié. Nous expérimentons là une autre pratique du zen. Au travers de l'interaction qui nous lie à lui, le jardin nous offre le don de la paix, nous faisant oublier notre chagrin, nos soucis et notre colère sur son autel ; le jardin nous nettoie.

Voilà pourquoi je ne me demande plus jamais si c'est ou non le moment d'aller au jardin. Car c'est toujours l'heure de lui rendre visite, c'est toujours l'heure d'y trouver la paix dans un rendez-vous avec l'énergie paisible du flux universel. Je trouve la paix dans l'œil du tournesol, la racine d'une carotte, la senteur du romarin. Je trouve la paix au fond de la tranchée à compost et dans le sol que je bêche. Je trouve la paix dans l'air que je respire de concert avec mes érables et mes pieds de tomates. Car la paix habite dans la vraie nature de toute la nature, dans tout ce qui vit. Quelle que soit l'heure où le besoin s'en fait sentir, le jardin est là pour me guérir et me nourrir, corps et âme.

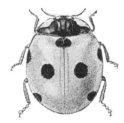

PAR PUR PLAISIR

Qui plante un jardin, plante le bonheur.

PROVERBE CHINOIS.

Un volubilis à ma fenêtre me rend bien plus heureux que la métaphysique des livres.

WALT WHITMAN.

Et n'oublie pas que la terre aime à sentir tes pieds nus et que le vent languit de jouer dans ta chevelure.

KHALIL GIBRAN.

LES joies du jardinage sont difficiles à décrire à ceux qui n'ont jamais connu la douleur des muscles mis à l'épreuve sur un lopin de terre : à ceux qui n'ont pas rapporté chez eux, sur leurs mains et leurs habits, la senteur du basilic, de la menthe et des soucis ; à ceux qui n'ont pas connu la joie de voir la semence mise en terre jaillir du sol et le fruit mûrir sur leur propre sarment. Et pourtant ceux qui ont succombé à la séduction de la nature sont si nombreux et si différents que cette joie est bien une joie universelle, une possibilité inhérente à l'être humain.

Les anciens Chinois comme les poètes du Moyen-Orient, de l'Europe de l'Ouest et les tout premiers Américains, tous prirent le pinceau pour exprimer le plaisir pur qu'ils ont pris à la contemplation des racines et des fleurs. Tous, ils nous racontent la même histoire. Aujourd'hui, plus que jamais, nous avons besoin de nous relier à la nature, de reprendre contact avec elle, de retourner au Jardin d'Éden afin de reprendre notre place au sein du monde primordial. Car nous avons besoin que la Nature donne une nouvelle fraîcheur à nos corps et renouvelle notre esprit.

Au début de la saison, j'ai éprouvé quelque culpabilité à passer tant de temps, à consacrer tant d'énergie et d'argent à mon jardin. J'en éprouvais tant de plaisir que je l'appréhendais ; ce plaisir m'était-il bien permis ? Mon monde semblait se rétrécir au fur et à mesure que je concentrais mon attention sur la préparation du jardin dans l'espoir de lui faire prendre le meilleur départ pour la saison à venir. Quelque chose en moi me disait que je faisais preuve d'égoïsme. Dans ses ouvrages magiques sur le zen, Charlotte Joko-Beck écrit : « Il y a beaucoup d'arrogance dans la culpabilité. » Pourquoi me sentirais-je coupable, à moins d'être à ce point orgueilleuse que je veuille contrôler le monde entier ? Pourquoi remettrais-je en question ce que je fais et l'endroit où je suis, à moins d'être persuadée d'avoir mieux à faire ailleurs ? Pourquoi juger le moment présent avec cette âpreté et cette rudesse au lieu d'en profiter comme on profite d'un don qui nous est fait ? Pourquoi poser a priori que le jardinage n'est pas un bon moyen de passer son temps et d'utiliser son énergie ? Quelle arrogance, c'est vrai, dans ma culpabilité.

La culture occidentale nous a élevés dans le culte du travail utile et contraignant, nous habituant à considérer le plaisir comme un interdit. Dans notre esprit, jardiner n'est pas un travail parce que cela ne fait pas assez mal, ce n'est pas douloureux. Nous l'apprécions, nous l'aimons, donc c'est mauvais !

J'ai surmonté ma culpabilité petit à petit, au fur et à mesure que j'apprenais à accepter le plaisir que me donnait le jardinage. Le jardin était là et j'étais là ; nous interagissions et partagions le moment présent. Être zen c'est accepter, c'est s'abstenir de juger, de résister et d'interférer avec le flux naturel de l'énergie et la réalité essentielle de toute chose. Certes, il est parfois plus difficile aux Occidentaux que nous sommes de laisser faire, de « non agir » et d'accepter ce qui est plaisant, beau et agréable à vivre. Mais il y a autant d'arrogance chez l'homme à rejeter le plaisir qu'à résister à la souffrance car la nature consiste en l'une et l'autre.

Toute action accomplie dans l'attention, dans l'acceptation et la paix est pratique zen. Ce n'est que l'ego qui juge et qui hiérarchise les actions les unes par rapport aux autres. Si l'esprit reste pacifié et consentant, les actes justes se présentent d'eux-mêmes à nous. Et lorsque nous les accomplissons dans l'attention et la lenteur en respectant leurs natures essentielles comme notre propre nature essentielle, ces actes ne peuvent être qu'élevés. Laver le sol, faire le thé, ratisser un parterre de cailloux ou cultiver les roses sont toutes des actions zen parfaites, des actions justes au moment juste. Car ce n'est pas l'acte accompli qui importe mais la qualité de son accomplissement.

Je crois que nous confondons la nature essentielle de l'esprit et la nature superficielle de l'ego. Nous donnons à la violence, à l'âpreté, au gain et à l'orgueil l'appellation : « qualités de la nature humaine ». Mais celles-ci ne sont que les expressions de la couche superficielle, de l'enveloppe la plus extérieure des êtres humains que nous sommes. Il nous faut aller bien plus profond pour trouver notre vraie nature essentielle, la vraie réalité de l'humain. Dans la pratique de l'attention et du silence. Dans la pratique joyeuse du jardinage.

Jardiner est un voyage qui me fait courir le monde et découvrir le monde entier sans que je quitte un seul instant mon propre lopin de terre. Le voyage est un plaisir pur.

S'ASSEOIR

Lorsque tu t'assieds, assieds-toi, simplement.

YUN MAN.

Les bouddhistes zen parlent de « simplement s'asseoir », une pratique méditative dans laquelle l'idée de dualité entre le sujet et l'objet ne domine pas la conscience.

ROBERT M. PIRSIG.

Lorsque je m'assois dans mon jardin, je *m'assois simplement.* Il m'arrive de méditer mais aussi d'observer tout ce qui m'entoure… et de m'observer moi-même observant ce qui m'entoure. Il m'arrive de m'asseoir au jardin pour prendre une décision importante, peser le pour et le contre, avoir une pensée positive mais il m'arrive aussi de vider mon esprit de toutes ses pensées.

J'ai appris la méditation il y a vingt-sept ans. Mon professeur m'enseigna à méditer d'une façon très simple en me relaxant physiquement, en comptant inspirs et expirs et en respirant très lentement. Je pratiquai alors l'exercice – fort difficile au demeurant – consistant à vider son esprit des milliers de pensées qui s'engouffrent en lui à une allure vertigineuse. Mais cette simple prise de conscience m'aida à atteindre un plan plus profond. Je fus au moins en mesure de réduire considérablement le flux des pensées et du bavardage incessant dans mon esprit. Je me concentrais sur une simple image comme celle d'un mur blanc et laissais le bavardage flotter et s'éloigner. Je laissais passer sans m'y arrêter les sentiments, les angoisses, les mots et les images, le passé comme le futur. Je parvenais à un état de relaxation où la pensée est suspendue, proche du sommeil éveillé. Je n'avais jamais rien vécu de semblable auparavant.

Après une semaine ou deux de ce genre de méditation d'un quart d'heure deux fois par jour, je ressentis en moi-même de profonds changements qui affectèrent ma vie quotidienne. Les situations, les gens et les événements qui m'avaient profondément contrariée avant ne provoquaient absolument plus de réactions de ma part. Tout semblait couler sur moi comme l'eau sur du verre. Mes amis commencèrent de trouver que j'étais différente, plus calme, plus heureuse et plus paisible. Il ne s'agissait pas là d'un changement intellectuel car je ne modifiais en rien ma façon de penser mais bien d'une évolution physique affectant les réponses que je donnais naturellement aux sollicitations extérieures. C'était comme une sorte de détachement, et le fait d'être en contact, ne serait-ce que quelques minutes par jour, avec ce calme et cette paix intérieure profonde me permit d'introduire un peu de cette sérénité dans ma vie de tous les jours. Les moines zen méditent – ils font *zazen* – pendant des heures, parfois pendant des jours. Ils méditent à l'intérieur de dojos ou dans la nature, en silence ou en chantant, seuls ou en groupe, parfois concentrés sur un *koan* – une énigme zen destinée à apporter le repos de l'esprit. Ils consacrent leur vie à l'accomplissement de l'illumination par l'intermédiaire de la pratique zen qui inclut, mais ce n'est pas limitatif, la méditation. Quant à nous, préoccupés par de nombreuses activités qui dévorent notre temps, nous pouvons déjà tirer parti de la pratique simple de la méditation. Car elle nous permet d'être plus ouvert et plus attentif, de vivre de façon plus spirituelle et de porter cet état d'être au-dehors, dans tous les domaines de notre vie.

Les années passant, je n'ai pas adhéré à cette pratique méditative du début aussi fidèlement que je l'aurais dû. J'ai suivi bien d'autres voies et appris bien d'autres techniques de méditation et de visualisations créatrices. Mais je reviens toujours aux formes les plus simples, aux efforts les plus basiques pour calmer mon esprit, concentrer mon attention, *être, ici et maintenant*. J'ai étudié bien des philosophies comme le bouddhisme, le taoïsme, le Tai Chi, le Yi-King – l'oracle chinois millénaire – et le « feng shui » – l'art de placer les objets en fonction des structures énergétiques terrestres –, et j'ai appris là quelques enseignements fondamentaux : la conscience et la participation pleine et entière à l'instant présent ; l'unicité de l'énergie, qui me traverse, traverse mon jardin et tous les éléments constitutifs de l'univers ; tout ce dont j'ai besoin est déjà en moi ; tout est parfait tel quel ; le flux et le reflux de l'énergie dans l'univers crée constamment l'équilibre et l'harmonie.

Un des hexagrammes du Yi-King s'appelle le puits ; il décrit le puits infini de la vérité et de l'énergie qui existe dans tout l'univers. On y voit un puits qui continue d'exister, quel que soit l'avenir de la ville où il se trouve et de ses habitants ; au travers de la guerre et des épreuves, de l'abondance ou de la vieillesse, de génération en génération, il perdure, semblable à lui-même. À l'avenant, dans nos vies comme à l'intérieur de notre être, il y a un puits empli à jamais, toujours prêt à nous enrichir et à nous rafraîchir. C'est ainsi que j'aime à penser à la méditation ; c'est un puits où l'on peut se désaltérer éternellement à la source de la réalité, de la vérité de ce qui est constant, immuable partout et à jamais. Faire le vide en soi est un préalable nécessaire pour remplir notre espace intérieur de nouveautés.

La méditation n'est pas la seule façon de pratiquer le zen au jardin. Car on peut simplement s'asseoir, regarder, écouter en s'ouvrant au moment présent, dans une chaise ou sur le sol, les yeux ouverts ou fermés. Parfois on se sentira si fatigué que l'on sera incapable de se concentrer. Mais tout ce qu'il faut faire à ce moment-là, c'est *simplement s'asseoir*, rester ouvert.

Car où que tu ailles dans l'univers, un bol vide à la main, celui-ci sera toujours généreusement rempli.

LES HERBES AROMATIQUES

À vous le romarin et la rue ; car l'apparence et la saveur de ces herbes perdurent pendant tout l'hiver.

SHAKESPEARE.

Voyez les herbes ! Leurs vertus sont invisibles et pourtant elles peuvent être détectées.

PARACELSE.

DEPUIS la nuit des temps, l'histoire des hommes a donné une importance considérable aux herbes. Indépendamment de leur qualité aromatique, elles trouvent de nombreuses utilisations tant en médecine qu'en décoration ou en cosmétologie, et même en magie. Qu'elles soient fraîches ou séchées, on a toujours chanté leurs senteurs et leurs propriétés lénifiantes particulièrement en ce qui concerne les tisanes au pouvoir apaisant. L'histoire des herbes est liée à celle des hommes par le secours qu'elles leur portent dans bien des domaines : en homéopathie, médecine naturelle qui doit être pratiquée par un médecin qualifié ; en premier secours à la maison ; dans le domaine des cosmétiques naturels destinés à la peau et aux cheveux.

Il est difficile de dénombrer exactement les trésors que recèlent nos jardins. Viennent immédiatement à l'esprit les plantes que nous utilisons pour assaisonner notre ordinaire telles que la sauge, le basilic et le thym, confectionner des tisanes (camomille et menthe poivrée), constituer des compléments alimentaires (l'échinée, le ginseng et l'ail). Toutes sortes de plantes nous servent en cuisine et en pharmacopée : sous des formes aussi variées que surprenantes, car fleurs, racines, baies, « mauvaises herbes » et légumes sont utiles. Il en est ainsi des poivres de Cayenne, des plantes à bulbe (oignons, poireaux, ail, ciboulette), raifort, roses (pétales et cynorhodon), tournesol (graines et fleurs), géraniums, orties urticantes, pissenlits et fraises.

On utilise également les « herbes » dans la préparation des cosmétiques : toniques, lotions et laits démaquillants de toutes sortes, shampoings et après-shampoings, crèmes pour les mains, désodorisants, pâte dentifrice et, cela va sans dire, bains aromatiques, lénifiants ou vivifiants. C'est là que font merveille les roses, la lavande, le romarin, la menthe, le persil, l'achillée mille-feuille, la sauge, le calendula, la consoude, la camomille et les orties. Certaines herbes du reste ne sont faites que pour cela car elles ne sont pas comestibles ; c'est le cas du souci, du coquelicot (si l'on excepte les graines) et de l'aloé-vera.

Faire pousser des herbes aromatiques est l'une des expériences les plus agréables que l'on puisse connaître car la senteur doucereuse et épicée qu'elles exhalent quand on les bassine d'eau est une raison suffisante pour s'y consacrer. Du reste l'aromathérapie est l'une de ces pratiques anciennes que le monde scientifique commence d'agréer et de reconnaître comme efficace dans certains domaines : accroissement du rendement, perte de poids, traitement de la douleur et de la dépression, entre autres.

Quant à moi j'utilise les herbes à « tout propos » : je ne me lasse pas de préparer des tisanes de camomille et de menthe poivrée, de « bains » de romarin, des pâtes au basilic, à l'origan, à l'ail et aux oignons, des crèmes et des fromages parfumés aux feuilles d'aneth odorant, des pommes de terre à la ciboulette, j'aime à créer des pots-pourris et à ensacher pour différents usages le souci et la rose, le géranium et la lavande, le romarin, les primevères, la menthe, le thym, le basilic et la sauge.

Il existe de nombreuses méthodes de conservation ; j'en privilégie deux, l'une consiste à laver les feuilles, à les sécher dans une serviette ou un essuie-tout : on les pose ensuite à plat sur un journal ou sur un tamis fin, ce qui facilite la circulation de l'air pour les faire sécher. On peut également les poser sur une feuille de papier sulfurisée et les mettre au four légèrement chaud. La seconde consiste à les congeler après les avoir lavées et séchées. On préférera les ensacher par petites doses afin que chacune d'elles puisse être utilisée en une seule fois. Il est par ailleurs beaucoup plus facile de couper les herbes en fines lamelles lorsqu'elles sont encore congelées. C'est du reste la méthode que je privilégie pour le persil et la ciboulette tandis que je mets plus volontiers à sécher le basilic, le romarin, le laurier et le thym. J'ai la chance d'habiter une ville abritant une véritable herboristerie. On y trouve toutes sortes d'essences et d'huiles, mais aussi tous les conseils dont on peut avoir besoin. C'est là que j'ai appris le plus de choses sur les propriétés des plantes et surtout médicinales : l'échinée contribue à la constitution de notre système immunitaire ; l'ail nous préserve des rhumes, toux et autres bronchites tandis que le gingembre et le ginseng soignent la nausée ; quant au piment de Cayenne, il facilite la circulation et la digestion. Les tisanes de camomille ont un statut privilégié car elles sont presque universellement efficaces ; elles soignent tout, de la tension à l'insomnie, en passant par les maux d'estomac. Certaines d'entre elles peuvent être dangereuses si on les ingère telles quelles ; c'est pourquoi il est essentiel de bien connaître leur mode d'emploi pour préserver leur efficacité positive.

De nombreuses légendes accompagnent l'histoire des plantes utilisées dans bien des rituels, depuis la cérémonie du thé millénaire de la philosophie zen jusqu'aux rituels christiques d'aujourd'hui. Tous les hommes savent le pouvoir qu'ont les herbes sur leurs esprits, leurs cœurs et leurs vies. Ma fille aime à emporter du romarin et du basilic en pot lorsqu'elle rentre au collège une fois l'été terminé. Elle apprécie particulièrement leur parfum qui embaume le dortoir et lui rappelle un peu de son intimité avec la nature.

Car les « herbes » parlent à notre nature primale, en profondeur. Elles nous rappellent notre unicité avec la terre dont elles sont issues. Et parce qu'on peut les utiliser de bien des façons, elles nous donnent constamment la joie de ressentir l'énergie terrestre circuler en nous, à travers nous, dans nos jardins et tous les jours de notre vie. Les herbes aromatiques sont le fil d'Ariane qui relie chaque parcelle de notre être à la terre et à l'univers. Le dérouler, c'est vivre une des plus grandes joies que le jardin puisse donner.

"LITTLE BUDDHAS"

Nous sommes tous des petits Bouddhas.

Ce que je sais des sciences divines et des Saintes Écritures, je l'ai appris dans les bois et les champs. Je n'ai pas d'autre maître que les hêtres et les chênes.

SAINT BERNARD.

Tout ce qui nous entoure est rempli de signes ; heureux est l'homme avisé qui sait apprendre de chaque chose.

PLOTIN.

L'ART du jardinage comporte mille facettes. Il stimule notre imagination, nous oblige à concrétiser nos plans, à donner ainsi une part de nous-même, de notre temps et de notre énergie, à être réellement utile à la terre dont nous recevons, en retour, santé, nourriture, beauté et paix. Si l'on accepte l'enseignement qu'elle nous prodigue, nous apprenons par ailleurs à grandir et à évoluer. Car la nature, et partant l'art du jardinage, est un maître implacable qui nous montre nos succès comme nos erreurs. Chaque graine, chaque germe et chaque fleur, chaque tomate et chaque poivron, chaque écureuil, chaque ver et chaque papillon, tout comme la tourbe et le compost, sont nos maîtres ; ce sont tous des « Petits Bouddhas ».

Le zen se trouve aussi dans l'art du jardinage. Car celui-ci nous apprend la patience, l'acceptation, l'ouverture et la souplesse. Il développe notre aptitude à l'écoute, l'observation et la communication. Il nous permet encore de prendre conscience de la réalité et de notre place au sein de celle-ci. Il nous enseigne aussi l'absence de résistance car il nous oblige à suivre le flux naturel de l'énergie. Il est la preuve évidente de l'interdépendance de toute chose, particulièrement de la dépendance de l'homme à la terre et à tous les êtres vivants. Accepter les cycles et les saisons de la vie, accepter la nature toujours changeante de la Nature, c'est se débarrasser des désirs, redécouvrir le plaisir de la surprise et l'efficacité du non-agir.

L'une des vérités fondamentales que l'on peut entrevoir en pratiquant le zen dans l'art du jardinage est le fameux *karma*. L'Occident connaît cette notion dont il ne retient que la règle suivante : *les actions passées déterminent les actions futures*. Mais ce point de vue implique un jugement étranger au concept du karma tel que le zen l'entend. En effet, la loi du karma n'est pas faite d'actions « délictueuses » ou « mauvaises » qui trouveraient leurs punitions dans une autre vie. Bien au contraire, il s'agit d'un rapport de cause à effet sans valeur morale. Telle action (« karma ») engendre tel résultat. C'est un fait, une Loi universelle, qui donne un sens à la vie car chaque jour, à chaque instant, nous créons le futur ; tel est le chemin naturel de la vie, du monde et de l'univers.

Une autre vérité fondamentale que nous enseigne l'art zen du jardinage a pour nom *wu-wei* ou encore « non-agir ». Car le zen nous invite à comprendre cette notion qui consiste non pas à agir d'abord mais à rester tranquille dans l'attente et à l'écoute de l'action juste ou de la réponse juste qui se révélera par elle-même. Le non-agir n'est pas une attitude de refus ou de laisser-aller : c'est un état de réceptivité et d'ouverture. Pour peu que l'on s'ouvre au flux naturel de l'énergie qui nous traverse, nous trouverons la voie juste qui consiste à suivre le mouvement de cette énergie, au lieu de la contrôler et de la diriger. Inutile donc de forcer nos croyances et nos désirs, mieux vaut céder et se soumettre à la nature afin de découvrir notre fonction juste au sein de celle-ci.

Avant de pouvoir accueillir un nouvel état, une nouvelle pensée, un nouveau mode d'être, il s'agit d'aménager un espace vide à cette intention. Pratiquer *wu-wei,* c'est arrêter toute action, faire le vide, créer un état de vacuité destiné à recevoir l'action juste et naturelle. C'est pratiquer l'état d'esprit du débutant, car celui-ci est toujours ouvert et réceptif, prêt à intégrer une nouvelle information.

La troisième vérité fondamentale est l'interdépendance de toutes choses dans la vie. Le zen dans l'art du jardinage nous enseigne la façon dont une vibration se propage à tout l'univers et affecte tous les autres êtres vivants. C'est ainsi que nous prenons conscience de notre interdépendance avec les autres formes de vie. L'art zen du jardinage nous invite à comprendre à quel point nous sommes responsables des conséquences qu'auront nos actes sur autrui et, réciproquement, nous montre comment les actes d'autrui nous affectent. Nous découvrons alors la place que nous tenons au sein d'un écosystème beaucoup plus grand, de la chaîne alimentaire et du flux énergétique universel. Nous découvrons notre unicité avec l'énergie unique qui baigne toutes choses.

L'art zen du jardinage nous enseigne encore l'attention dans l'action et dans l'observation. Car il s'agit d'être pleinement concentré sur l'acte en cours d'accomplissement et de perdre son ego pour faire émerger le soi essentiel.

L'art zen du jardinage est, je ne cesserai de le répéter, un catalyseur qui révèle à chacun de nous la véritable nature, l'essence de toutes choses. Il s'agit de reconnaître et de respecter la réalité de chaque parcelle du terrain ; de comprendre que, si la nature essentielle d'une plante est de se développer à l'ombre, c'est une atteinte irrespectueuse que de la planter en plein soleil. Par voie de conséquence, c'est notre propre nature, notre essence que nous découvrirons en liaison avec le reste de la Nature, que nous apprendrons à connaître et à respecter aussi bien.

Jardiner zen enfin nous enseigne l'humilité, la simplicité, la compassion, le détachement et la non-résistance. Car nous y apprenons à accepter l'équilibre, le flux et le reflux constant de la vie, le mouvement incessant et complémentaire du yin et du yang. Petit à petit, nous reconnaissons que tout est parfait, tel quel. Les changements plus ou moins soudains ne nous effraient plus. Les désirs et les espérances nous semblent futiles. Car toute chose se déroulera comme elle doit, selon un processus logique et nécessaire : la floraison précède le flétrissement qui précède la mort. Vie et mort se succèdent constamment.

Le terme *bouddha* signifie littéralement l'*éveillé*. Tous les êtres vivants sont des éveillés et des maîtres. Bien qu'ils prennent les formes les plus variées, ce sont tous des bouddhas. Et ce n'est pas par des prêches et des examens qu'ils nous transmettent leur enseignement. C'est en étant ce qu'ils sont, fidèles à leur nature essentielle. C'est à nous de les observer avec l'état d'esprit du débutant. Ce faisant, nous apprendrons, et avec nous, c'est le reste du monde qui apprendra ; car nous ne sommes qu'un seul monde, une seule énergie, une seule force vitale, un seul univers. Nous sommes tous de petits bouddhas.

RENDEZ-VOUS
L'ANNÉE PROCHAINE
MÊME HEURE
MÊME ENDROIT

Même les saisons forment un grand cercle au fur et à mesure de leur évolution pour revenir toujours d'où elles sont parties.

ÉLAN NOIR.

Ô Vent,
Si l'hiver revient, se peut-il que le printemps soit
loin derrière ?

PERCY BYSSHE SHELLEY.

CETTE année se termine dans mon jardin avec la ronde des feuilles mortes virevoltant jusqu'à terre. Tout en nettoyant les planches de légumes et en récoltant les herbes aromatiques, je repense à tout ce que j'ai appris cette année. La patience, l'acceptation, le calme et l'attention. Les expériences de communion avec la nature, d'oubli de moi-même dans la fusion avec l'énergie de tous les êtres vivants ; tout ceci remonte à ma mémoire, déjà si pleine de senteurs et de couleurs. Il est vrai que, cette année encore, j'ai reçu bien plus que je n'ai donné.

J'ai aujourd'hui plus de foi et d'optimisme dans l'avenir. Car de la terre, j'ai appris bien des choses tant aux plans physique que mental, émotionnel et spirituel. Aujourd'hui, on déménage si souvent que l'on a l'occasion de pratiquer le jardinage dans bien des endroits différents. Dans cette tourmente qu'est la vie d'aujourd'hui, chaque jardin perdure tout en acceptant les changements, année après année : une nouvelle plante par-ci, une nouvelle disposition par-là. Le jardin grandit et diminue au fil du temps tel un organisme vivant qui compte autant de vies qu'il a eu de propriétaires. Il est l'hôte de plantes, d'animaux et d'insectes d'une extrême variété ; il s'adapte à la sécheresse comme aux pluies torrentielles, aux soins attentifs comme à la négligence : il se soumet avec souplesse aux caprices de l'homme. Le jardin vit sa vie avec ou sans nous.

Au cours d'une saison, nous apprenons à améliorer la qualité de nos interventions, de notre participation à la vie du jardin. Nous trouvons notre place au sein des cycles de la nature. Nous trouvons notre fonction sur terre tout en laissant le flux de l'énergie nous traverser. Nous apprenons à abandonner nos peurs et nos doutes d'humains, à nous libérer pour développer la « main verte » qui est en chacun de nous. Et nous pouvons transposer tous les enseignements reçus de notre jardin dans les différents domaines de notre vie, car il s'agit là d'une chaîne d'énergie continue, unique, universelle.

Les oies passent au-dessus de ma tête en cacardant joyeusement tandis que je plante les bulbes pour le printemps de l'année prochaine. Le jardin a l'air fatigué, heureux de pouvoir se reposer un moment. Déjà ma tête est pleine de projets et de visions. Non pas que je sois insatisfaite de ce jardin-ci, mais il a fait son temps ; je suis déjà dans l'énergie du prochain jardin. Je veux y planter beaucoup plus de fleurs, y organiser de gros massifs d'impatiences avec de nouvaux hortus et des touches de blanc dans les feuilles et les fleurs. Je veux des lupins et des roses trémières. Je veux de la clématite qui grimpe partout à l'assaut de la treille, des barrières et des réverbères. Dès cet automne, je planterai des bulbes d'iris en plus de ceux que j'ai déjà ainsi que des lilas pour obtenir plus de feuillages et plus de couleurs. Je veux encore des espaliers de concombres et de haricots d'Espagne ; je veux cultiver d'autres courgettes et faire tourner les emplacements de légumes. Je mettrai des soucis mais aussi des pétunias pour préserver mes légumes des maladies. Je laisserai probablement tomber les poireaux, trop longs à venir à maturation pour cet endroit, mais je continuerai la culture d'oignon et d'ail ainsi que d'aubergine. Je ne négligerai pas le jardin d'herbes aromatiques et tâcherai de planter d'épais buissons de lavande, de menthe, de basilic et de sauge. Je planterai aussi de nombreux pieds de romarin, car c'est décidément ma plante favorite... Ah ! j'aimerais bien planter aussi un érable rouge.

Penser à tous ces projets me fait beaucoup de bien. J'imagine déjà en marchant dans le jardin des tas de nouvelles possibilités car chaque année est une nouvelle chance. Chaque année nous donne l'occasion de quitter notre vieille peau pour endosser l'habit de l'homme neuf.

Jardiner zen est simple. C'est *jardiner, simplement.* Ne vous inquiétez ni de ce qui est bon ni de ce qui est juste. Faites, tout simplement, l'esprit et le cœur ouvert, profondément joyeux et pacifié, avec attention. Au lieu de travailler à votre jardin, laissez votre jardin vous travailler. Vivez intensément la saison dans sa plénitude du tout premier catalogue de jardinage à la toute dernière courge d'octobre. Et si rien ne s'avère absolument parfait, tout le sera pourtant.

Tout en nettoyant les sarments secs et en coupant en rondelles les débris pour faire du compost, je sais intimement que j'ai fait un jardin zen parfait, succès et échecs compris. Cette année a été une année de couleurs brillantes, de feuillages luxuriants, de beauté indicible et de paix incomparable. Je me suis vraiment perdue dans mon jardin pour y trouver mon être véritable. J'ai renoué avec de vieux amis et m'en suis découvert bien d'autres. Tout en ratissant le sol nu et en couvrant mes plantes vivaces de feuilles séchées, je parle à mon jardin et lui transmets mon dernier message de la saison : *À bientôt, l'année prochaine, je serai au rendez-vous.*

TABLE DES MATIÈRES

LA CONSOLATION, par Dante.

RITUELS CATHARES, par Michel Gardère.

CHANTS D'AMOUR DE L'ÉGYPTE ANCIENNE.

PETIT TRAITÉ DE L'ÉMOTION, par Denise Desjardins.

LES TROIS SPIRALES, par Jean Markale.

SUR LE CHEMIN DE LA GUÉRISON
par le Dr Deepak Chopra.

CHEMIN DE VIE, par Graf Karlfried Dürckeim.

L'ART DU JARDIN ZEN, par Veronica Ray.

QUESTIONS À SA SAINTETÉ LE DALAÏ-LAMA.

LE SECRET, par Jacqueline Kelen.